S0-ARK-060

EDMUNDO PAZ SOLDÁN

TIBURÓN

UNA ANTOLOGÍA PERSONAL

Autor representado por Silvia Bastos, S.L. Agencia literaria
www.silviabastos.com

Tiburón
Una antología personal

Primera edición, 2016

Coedición: Almadía Ediciones S.A.P.I. de C.V. / Secretaría de Cultura

D.R. © 2016, Almadía Ediciones S.A.P.I. de C.V.
Avenida Monterrey 153, colonia Roma Norte
Ciudad de México, C.P. 06700.
RFC: AED140909BPA
www.almadia.com.mx
www.facebook.com/editorialalmadia
@Almadia_Edit

D.R. © 2016, Secretaría de Cultura
Dirección General de Publicaciones
Avenida Paseo de la Reforma 175, colonia Cuauhtémoc
C.P. 06500, Ciudad de México
www.cultura.gob.mx

ISBN: 978-607-8486-21-2, Almadía Ediciones
ISBN: 978-607-745-471-7, Secretaría de Cultura

En colaboración con el Fondo Ventura A.C. y Proveedora Escolar S. de R.L. Para mayor información: www.fondoventura.com
y www.proveedora-escolar.com.mx

Impreso en México / *Printed in Mexico*

EDMUNDO PAZ SOLDÁN
TIBURÓN
UNA ANTOLOGÍA PERSONAL

DOCHERA

A Piero Ghezzi

Todas las tardes la hija de Inaco se llama Io, Aar es el río de Suiza y Somerset Maugham ha escrito *La luna y seis peniques.* El símbolo químico del oro es Au, Ravel ha compuesto el *Bolero* y hay puntos y rayas que indican letras. *Insípido* es *soso,* las iniciales del asesino de Lincoln son JWB, las casas de campo de los jerarcas rusos son *dachas,* Puskas es un gran futbolista húngaro, Veronica Lake es una famosa *femme fatale,* héroe de Calama es Avaroa y la palabra clave de *Ciudadano Kane* es *Rosebud.* Todas las tardes Benjamín Laredo revisa diccionarios, enciclopedias y trabajos pasados para crear el crucigrama que saldrá al día siguiente en *El Heraldo* de Piedras Blancas. Es una rutina que ya dura veinticuatro años: después del almuerzo, Laredo se pone un apretado terno negro, camisa de seda blanca, corbata de moño rojo y zapatos de charol que brillan como los charcos en las calles después de una noche de lluvia. Se perfuma, afeita y peina con gomina, y luego se encierra en su escritorio con una botella de vino tinto y el concierto de violín de Mendelssohn en el estéreo para, con una caja de lápices Staedtler de punta fina, cruzar palabras en líneas horizontales y verticales, junto a fotos en blanco y negro de políticos, artistas y edificios célebres. Una frase serpentea a lo largo y ancho del cuadrado, la de Oscar Wilde, la más usada: "Puedo resistir a todo menos a las tentaciones". Una de Borges es la favorita del momento: "He cometido el peor de los pecados: no fui feliz". ¡Preclara belleza de lo que se va creando ante nuestros ojos nunca cansados de sorprenderse! ¡Maravilla de la novedad en la repetición! ¡Pasmo ante el acto siempre igual y siempre nuevo!

Sentado en la silla de nogal que le ha causado un dolor crónico en la espalda, royendo la madera astillada del lápiz, Laredo se enfrenta al rectángulo de papel bond con urgencia, como si en este se encontrara, oculto en su vasta claridad, el mensaje cifrado de su destino. Hay momentos en que las palabras se resisten a entrelazarse, en que un dato orográfico no quiere combinar con el sinónimo de *impertérrito*. Laredo apura su vino y mira hacia las paredes. Quienes pueden ayudarlo están ahí, en fotos de papel sepia que parecen gastarse de tanto ser observadas, un marco de plata bruñida al lado de otro atiborrando los cuatro costados y dejando apenas espacio para un marco más: Wilhelm Kundt, el alemán de la nariz quebrada (la gente que hace crucigramas es muy apasionada), el fugitivo nazi que en menos de dos años en Piedras

Blancas se inventó un pasado de célebre crucigramista gracias a su exuberante dominio del castellano –decían que era tan esquelético porque sólo devoraba páginas de diccionarios de etimologías en el desayuno, almorzaba sinónimos y antónimos, cenaba galicismos y neologismos–; Federico Carrasco, de asombroso parecido con Fred Astaire, que descendió en la locura al creerse Joyce e intentar hacer de sus crucigramas reducidas versiones de *Finnegans Wake*; Luisa Laredo, su madre alcohólica, que debió usar el seudónimo de Benjamín Laredo para que sus crucigramas abundantes en despreciada flora y fauna y olvidadas artistas pudieran ganar aceptación y prestigio en Piedras Blancas; su madre, que lo había criado sola (al enterarse del embarazo, el padre de dieciséis años huyó en tren y no se supo más de él) y que, al descubrir que a los cinco años él ya sabía que *agarradera* era *asa* y tasca *bar*, le había prohibido que hiciera sus crucigramas por miedo a que siguiera su camino. *Cansa ser pobre. Tú serás ingeniero.* Pero ella lo había dejado cuando cumplió diez, al no poder resistir un feroz *delirium tremens* en el que las palabras cobraban vida y la perseguían como mastines tras la presa.

Todos los días Laredo mira al crucigrama en estado de crisálida, y luego a las fotos en las paredes. ¿A quién invocaría hoy? ¿Necesitaba la precisión de Kundt? "Piedra labrada con que se forman los arcos o bóvedas", seis letras. ¿El dato entre arcano y esotérico de Carrasco? "Cinematógrafo de John Ford en *El Fugitivo*", ocho letras. ¿La diligencia de su madre para dar un lugar a aquello que se dejaba de lado? "Preceptora de Isabel la Católica, autora de unos comentarios a la obra de Aristóteles", siete letras. Alguien siempre dirige su mano tiznada de carbón al diccionario y enciclopedia correctos (sus preferidos, el de María Moliner, con sus bordes garabateados, y la *Enciclopedia Británica* desactualizada pero capaz de informarlo de árboles caducifolios y juegos de cartas en la alta edad media), y luego ocurre la alquimia verbal y esas palabras yaciendo juntas de manera incongruente –dictador cubano de los 50, planta dicotiledónea de Centro América, deidad de los indios Mohawks–, de pronto cobran sentido y parecen nacidas para estar una al lado de la otra.

Después, Laredo camina las siete cuadras que separan su casa del rústico edificio de *El Heraldo*, y entrega el crucigrama a la secretaria de redacción, en un sobre lacrado que no puede ser abierto hasta minutos antes de ser colocado en la página A14. La secretaria, una cuarentona de camisas floreadas y lentes de cristales negros e inmensos como tarántulas dormidas, le dice cada vez que puede que sus obras son "joyas para guardar en el alhajero de los recuerdos", y que ella hace unos tallarines con pollo "para chuparse los dedos", y a él no le vendría mal "un paréntesis en su admirable labor". Laredo murmura unas disculpas, y mira al suelo. Desde que su primera y única novia lo dejó a los dieciocho años por un muy premiado poeta maldito –o, como él prefería llamarlo, un *maldito poeta*–, Laredo se había pasado la vida mirando al suelo cuando tenía alguna mujer cerca suyo. Su natural timidez se hizo más pronunciada, y se recluyó en una vida solitaria, dedicada a sus estudios de arqueología (abandonados al tercer año) y al laberinto intelectual de los crucigramas. La última década pudo haberse aprovechado de su fama en algunas ocasiones, pero no lo hizo porque él, ante todo, era un hombre muy ético.

Antes de abandonar el periódico, Laredo pasa por la oficina del editor, que le entrega su cheque entre calurosas palmadas en la espalda. Es su única exigencia: cada crucigrama debe pagarse el día de su entrega, excepto los del sábado y el domingo, que se pagan el lunes. Laredo inspecciona el cheque a contraluz, se sorprende con la suma a pesar de conocerla de memoria. Su madre estaría muy orgullosa de él si supiera que podía vivir de su arte. *Debiste haber confiado más en mí, mamá.* Laredo vuelve al hogar con paso cansino, rumiando posibles definiciones para el siguiente día. Pájaro extinguido, uno de los primeros reyes de Babilonia, país atacado por Pedro Camacho en *La tía Julia y el escribidor*, isótopo radiactivo de un elemento natural, civilización contemporánea de la Nazca en la costa norte del Perú, aria de Verdi, noveno mes del año lunar musulmán, tumor producido por la inflamación de los vasos linfáticos, instrumento romo, rebelde sin causa.

Ese atardecer, Benjamín Laredo volvía a casa más alegre de lo habitual. Todo le parecía radiante, incluso el mendigo sentado en la acera con la descoyuntada "cintura ósea que termina por la parte inferior el cuerpo humano" (seis letras), y el adolescente que apareció de improviso en una esquina, lo golpeó al pasar y tenía una grotesca "prominencia que forma el cartílago tiroides en la parte anterior del cuello" (cuatro letras). Acaso era el vino italiano que había tomado ese día para celebrar el fin de una semana especial por la calidad de sus cuatro últimos crucigramas. El del miércoles, cuyo tema era el *film noir* –con la foto de Fritz Lang en la esquina superior izquierda y a su lado derecho la del autor de *Double Indemnity*–, había motivado numerosas cartas de felicitación. "Estimado señor Laredo: le escribo estas líneas para decirle que lo admiro mucho y que estoy pensando en dejar mis estudios de ingeniería industrial para seguir sus pasos." "Muy Apreciado: Ojalá que Sigas con los Crucigramas Temáticos. ¿Qué Tal Uno que Tenga como Tema las Diversas Formas de Tortura Inventadas por los Militares Sudamericanos el Siglo XX?" Laredo palpaba las cartas en su bolsillo derecho y las citaba de corrido como si estuviera leyéndolas en braille. ¿Estaría ya a la altura de Kundt? ¿Había adquirido la inmortalidad de Carrasco? ¿Lograba superar a su madre para así recuperar su nombre? Casi. Faltaba poco. Muy poco. Debía haber un premio Nobel para artistas como él: hacer crucigramas no era menos complejo y trascendental que escribir un poema. Con la delicadeza y la precisión de un soneto, las palabras se iban entrelazando de arriba a abajo y de izquierda a derecha hasta formar un todo armonioso y elegante. No se podía quejar: su popularidad era tal en Piedras Blancas que el municipio pensaba bautizar una calle con su nombre. Nadie ya leía a los poetas malditos y menos a los *malditos poetas*, pero prácticamente todos en la ciudad, desde ancianos beneméritos hasta gráciles lolitas –"obsesión de Humbert Humbert, personaje de Nabokov, Sue Lyon en la pantalla gigante"–, dedicaban al menos una hora de sus días a intentar resolver sus crucigramas. Más valía el reconocimiento popular en un arte no valorado que una multitud de premios en un campo tomado en cuenta sólo por unos pretenciosos estetas, incapaces de reconocer el aire de los tiempos.

En la esquina a una cuadra de su casa una mujer con un abrigo negro esperaba un taxi ("piel usada para la confección de abrigos", cinco letras). Las luces del alumbrado público se encendieron, su fulgor anaranjado reemplazando pálidamente la perdida luz del atardecer. Laredo pasó al lado de la mujer; ella volcó la cara y lo miró. Era joven, de edad indefinida: podía tener diecisiete o treinta y cinco años. Tenía un mechón de pelo blanco que le caía sobre la frente y le cubría el ojo derecho. Laredo continuó la marcha. Se detuvo. Ese rostro...

Un taxi se acercaba. Giró y le dijo:

–Perdón. No es mi intención molestarla, pero...

–Pero me va a molestar.

–Sólo quería saber su nombre. Me recuerda a alguien.

–Dochera.

–¿Dochera?

–Disculpe. Buenas noches.

El taxi se había detenido. Ella subió y no le dio tiempo de continuar la charla. Laredo esperó que el destartalado Ford Falcon se perdiera antes de proseguir su camino. Ese rostro... ¿a quién le recordaba ese rostro?

Se quedó despierto hasta la madrugada, dando vueltas en la cama con la luz de su velador encendida, explorando su prolija memoria en busca de una imagen que correspondiera de algún modo con la nariz aguileña, la tez morena y la quijada prominente, la expresión entre recelosa y asustada. ¿Un rostro entrevisto en la infancia, en una sala de espera en un hospital, mientras, de la mano de su abuelo, esperaba que le informaran que su madre había vuelto de la inconsciencia alcohólica? ¿En la puerta del cine de barrio, a la hora de la entrada triunfal de las chicas de minifaldas rutilantes, de la mano de sus parejas? Aparecía la imagen de senos inverosímiles de Jayne Mansfield, que había recortado de un periódico y colado en una página de su cuaderno de matemáticas, la primera vez que había intentado hacer un crucigrama, un día después del entierro de su madre. Aparecían rubias y de pelo negro oloroso a manzana, morenas hermosas gracias al desparpajo de la naturaleza o a los malabares del maquillaje, secretarias de rostros vulgares y con el encanto o la insatisfacción de lo ordinario, mujeres de la realeza y desconocidas con las que se había cruzado por la calle, la piel no tocada varios días por el agua.

La luz se filtraba, tímida, entre las persianas de la habitación cuando apareció la mujer madura con un mechón blanco sobre la cabeza. La dueña de El palacio de las princesas dormidas, la revistería del vecindario donde Laredo, en la adolescencia, compraba los *Siete Días* y

Life de donde recortaba las fotos de celebridades para sus crucigramas. La mujer que se le acercó con una mano llena de anillos de plata al verlo ocultar con torpe disimulo, en una esquina del recinto oloroso a periódicos húmedos, una *Life* entre los pliegues de la chamarra de cuero marrón.

–¿Cómo te llamas?

Lo agarraría y lo denunciaría a la policía. Un escándalo. En su cama, Laredo revivía el vértigo de unos instantes olvidados durante tantos años. Debía huir.

–Te he visto muchas veces por aquí. ¿Te gusta leer?

–Me gusta hacer crucigramas.

Era la primera vez que lo decía con tanta convicción. No había que tenerle miedo a nada. La mujer abrió sus labios en una sonrisa cómplice, sus mejillas se estrujaron como papel.

–Ya sé quién eres. Benjamín. Como tu madre, Dios la tenga en su gloria. Espero que no te guste hacer otras cosas tontas como ella.

La mujer le dio un pellizco tierno en la mejilla derecha. Benjamín sintió que el sudor se escurría por sus sienes. Apretó la revista contra su pecho.

–Ahora lárgate, antes de que venga mi esposo.

Laredo se marchó corriendo, el corazón apresurado como ahora, repitiéndose que nada le gustaba más que hacer crucigramas. *Nada.* Desde entonces no había vuelto a El palacio de las princesas dormidas por una mezcla de vergüenza y orgullo. Había incluso dado rodeos para no cruzar por la esquina y toparse con la mujer. ¿Qué sería de ella? Sería una anciana detrás del mostrador de la revistería. O quizás estaría cortejando a los gusanos en el cementerio municipal. Laredo repitió, su cuerpo fragmentado en líneas paralelas por la luz del día: *nada me más que. Nada.* Debía pasar la página, devolver a la mujer al olvido en que la tenía prisionera. Ella no tenía nada que ver con su presente. El único parecido con Dochera era el mechón blanco. "Dochera", susurró, los ojos revoloteando por las paredes desnudas de la habitación. "Do-che-ra."

Era un nombre extraño. ¿Dónde podría volver a encontrarla? Si había tomado el taxi tan cerca de su casa, acaso vivía a la vuelta de la esquina: se estremeció al pensar en esa hipotética cercanía, se mordió las uñas ya más que mordidas. Lo más probable, sin embargo, era que ella hubiera estado regresando a su casa después de visitar a alguna amiga. O a familiares. ¿A un amante?

Al día siguiente, incluyó en el crucigrama la siguiente definición: "Mujer que espera un taxi en la noche y que vuelve locos a los hombres solitarios y sin consuelo". Siete letras, segunda columna vertical. Había transgredido sus principios de juego limpio y su responsabilidad para con sus seguidores. Si las mentiras que poblaban las páginas de los periódicos, en las declaraciones de los políticos y los funcionarios de gobierno, se extendían al reducto sagrado de las palabras cruzadas, estables en su ofrecimiento de verdades fáciles de comprobar con una buena enciclopedia, ¿qué posibilidades existían para que el ciudadano común se salvara de la generalizada corrupción? Laredo había dejado en suspensión esos dilemas morales. Lo único que le interesaba era enviar un mensaje a la mujer de la noche anterior, hacerle saber que estaba pensando en ella. La ciudad era muy chica, ella debía haberlo reconocido. Imaginó que ella, al día siguiente, haría el crucigrama en la oficina en la que trabajaba, y se encontraría con ese mensaje de amor que la haría sonreír. *Dochera,* escribiría con lentitud, paladeando el momento, y luego llamaría al periódico para avisar que había recibido el mensaje, podían tomar un café una de esas tardes.

Esa llamada no llegó. Sí, en cambio, las de muchas personas que habían intentado infructuosamente resolver el crucigrama y pedían ayuda o se quejaban de su dificultad. Cuando, un día después, fue publicada la solución, la gente se miró incrédula. ¿Dochera? ¿Quién había oído hablar de Dochera? Nadie se animó a preguntarle o discutirle a Laredo: si él lo decía, era por algo. No por nada se había ganado el apodo de Hacedor. El Hacedor sabía cosas que la demás gente no conocía.

Laredo volvió a intentar con: "Turbadora y epifánica aparición nocturna, que ha convertido un solitario corazón en una suma salvaje y contradictoria de esperanzas y desasosiegos". Y: "De noche, todos los taxis son pardos y se llevan a la mujer de mechón blanco, y con ella mi órgano principal de circulación de la sangre". Y: "A una cuadra de la Soledad, al final de la tarde, hubo el despertar de un mundo". Los crucigramas mantenían la calidad habitual, pero todos, ahora, llevaban inserta, como una cicatriz que no acababa de cerrarse, una definición que remitiera al talismánico nombre de siete letras. Debía parar. No podía. Hubo algunas críticas; no le interesaba ("autor de *El criticón*", siete letras). Sus seguidores se fueron acostumbrando, y comenzaron a ver el lado positivo: al menos podían comenzar a resolver el crucigrama con la seguridad de tener una respuesta correcta. Además, ¿no eran los genios extravagantes? Lo único diferente era que a Laredo le había tomado veinticinco años encontrar su lado excéntrico. Al Beethoven de Piedras Blancas bien podían permitírsele acciones que se salían de lo acostumbrado.

Hubo cincuenta y siete crucigramas que no encontraron respuesta. ¿Se había esfumado la mujer? ¿O es que Laredo se había equivocado en el método? ¿Debía rondar todos los días la esquina de su casa, hasta volverse a encontrar con ella? Lo había intentado tres noches, la gomina Lord Cheseline refulgiendo en su cabellera como si se tratara de un ángel en una fallida encarnación mortal. Se sintió ridículo y vulgar acosándola como un asaltante. También había visitado, sin suerte, las compañías de taxis en la ciudad, tratando de dar con los taxistas de turno aquella noche (las compañías no guardaban las listas, hablaría con el director del periódico, alguien debía escribir un editorial al respecto). ¿Poner un aviso de una página en *El Heraldo*, describiendo a Dochera y ofreciendo dinero al que pudiera darle información sobre su paradero? Pocas mujeres debían tener un mechón de pelo blanco, o un nombre tan singular. No lo haría. No había publicidad superior a la de sus crucigramas: ahora toda la ciudad, incluso quienes no hacían crucigramas, sabía que Laredo estaba enamorado de una mujer llamada Dochera. Para ser un tímido enfermizo, Laredo ya había hecho mucho (cuando la gente le preguntaba quién era ella, él bajaba la mirada y murmuraba que en una tienda de libros usados había encontrado una invaluable y ya agotada enciclopedia de los hititas).

¿Y si la mujer le había dado un nombre falso? Esa era la posibilidad más cruel.

Una mañana, se le ocurrió visitar el vecindario de su adolescencia, en la zona noroeste de la ciudad, profusa en sauces llorones. El entrecruzamiento de estilos creaba una zona de abigarradas temporalidades. Las casonas de patios interiores coexistían con modernas residencias, el kiosco del Coronel, con su vitrina de anticuados frascos de farmacia para los dulces y las "gomas de mascar perfumadas" (siete letras), estaba al lado de una peluquería en la que se ofrecía *manicura para ambos sexos.* Laredo llegó a la esquina donde se encontraba la revistería. El letrero de elegantes letras góticas, colgado sobre una corrediza puerta de metal, había sido sustituido por un anuncio de cerveza, bajo el cual se leía, en letras pequeñas, Restaurante El palacio de las princesas. Laredo asomó la cabeza por la puerta. Un hombre descalzo y en pijamas azules trapeaba el piso de mosaicos de diseños árabes. El lugar olía a detergente de limón.

–Buenos días.

El hombre dejó de trapear.

–Perdone… Aquí antes había una revistería.

–No sé nada. Sólo soy un empleado.

–La dueña tenía un mechón de pelo blanco.

El hombre se rascó la cabeza.

–Si es en la que estoy pensando, murió hace mucho. Era la dueña original del restaurante. Fue atropellada por un camión distribuidor de cervezas, el día de la inauguración.

–Lo siento.

–Yo no tengo nada que ver. Sólo soy un empleado.

–¿Alguien de la familia quedó a cargo?

–Su sobrino. Ella era viuda, y no tenía hijos. Pero el sobrino lo vendió al poco tiempo, a unos argentinos.

–Para no saber nada, usted sabe mucho.

–¿Perdón?

–Nada. Buenos días.

–Un momento… ¿No es usted…?

Laredo se marchó con paso apurado.

Esa tarde, escribía el crucigrama cincuenta y ocho de su nuevo período cuando se le ocurrió una idea. Estaba en su escritorio con un traje negro que parecía haber sido hecho por un sastre ciego (los lados desiguales, un corte diagonal en las mangas), la corbata de moño rojo y una camisa blanca manchada por gotas del vino tinto que tenía en la mano –merlot, Les Jamelles–. Había treinta y siete libros de referencia apilados en el suelo y en la mesa de trabajo; los violines de Mendelssohn acariciaban sus lomos y sobrecubiertas ajadas. Hacía tanto frío que hasta Kundt, Carrasco y su madre parecían tiritar en las paredes. Con un Staedtler en la boca, Laredo pensó que la demostración de su amor había sido repetitiva e insuficiente. Acaso Dochera quería algo más. Cualquiera podía hacer lo que él había hecho; para distinguirse del resto, debía ir más allá de sí mismo. Utilizando como piedra angular la palabra *Dochera*, debía crear un mundo. Afluente del Ganges, cuatro letras: *Mars*. Autor de *Todo verdor perecerá*, ocho letras: *Manterza*. Capital de Estados Unidos, cinco letras: *Deleu*. Romeo y... seis letras: *Senera*. Dirigirse, tres letras: *lei*. Colocó las cinco definiciones en el crucigrama que estaba haciendo. Había que hacerlo poco a poco, con tiento.

Adolescentes en los colegios, empleados en sus oficinas y ancianos en las plazas se miraron con asombro: ¿se trataba de un error tipográfico? Al día siguiente descubrieron que no. Laredo se había pasado de los límites, pensaron algunos, rumiando la rabia de tener entre sus manos un crucigrama de imposible resolución. Otros aplaudieron los cambios: eso hacía más interesantes las cosas. "Sólo lo difícil era estimulante" (dos palabras, diez letras). Después de tantos años, era hora de que Laredo se renovara: ya todos conocían de memoria su repertorio, sus trucos de viejo malabarista verbal. *El Heraldo* comenzó a publicar, aparte del crucigrama de Laredo, uno normal para los descontentos. El crucigrama normal fue retirado once días después.

La furia nominalista del Beethoven de Piedras Blancas se fue acrecentando a medida que pasaban los días y no oía noticias de Dochera. Sentado en su silla de nogal noche tras noche, fue destruyendo su espalda y construyendo un mundo, superponiéndolo al que ya existía y en el que habían colaborado todas las civilizaciones y los siglos que confluían, desde el origen de los tiempos, en un escritorio desordenado en Piedras Blancas. ¡Preclara belleza de lo que se va creando ante nuestros ojos nunca cansados de sorprenderse! ¡Maravilla de la novedad en la novedad! ¡Pasmo ante el acto siempre nuevo y siempre nuevo! Se veía bailando los aires de una rondalla en el Cielo de los Hacedores –en el que los Crucigramistas ocupaban el piso más alto, con una vista privilegiada del Jardín del Paraíso, y los Poetas el último piso–, de la mano de su madre y mientras Kundt y Carrasco lo miraban de abajo arriba. Se veía desprendiéndose de la mano de su madre, convirtiéndose en una figura etérea que ascendía hacia una cegadora fuente de luz.

La labor de Laredo fue ganando en detalle y precisión mientras sus provisiones de papel bond y Staedtlers se acababan más rápido que de costumbre. La capital de Venezuela, por ejemplo, había sido primero bautizada como Senzal. Luego, el país del cual Senzal era capital había sido bautizado como Zardo. La capital de Zardo era ahora Senzal. Los héroes que habían luchado en las batallas de la independencia del siglo pasado fueron rebautizados, así como la orografía y la hidrografía de los cinco continentes, y los nombres de presidentes, ajedrecistas, actores, cantantes, insectos, pinturas, intelectuales, filósofos, mamíferos, planetas y constelaciones. *Cima* era *ruda*, *sima* era *redo*. Piedras Blancas era *Delora*. Autor de

El mercader de Venecia era Eprinip Eldat. Famoso creador de crucigramas era Bichse. Especie de chaleco ajustado al cuerpo era *frantzen*. Objeto de paño que se lleva sobre el pecho como signo de piedad era *vardelt*. Era una labor infinita, y Laredo disfrutaba del desafío. La delicada pluma de un ave sostenía un universo.

El atardecer doscientos tres, Laredo volvía a casa después de entregar su crucigrama. Silbaba *La cavalleria rusticana* desafinando. Dio unos pesos al mendigo de la *doluth* descoyuntada. Sonrió a una anciana que se dejaba llevar por la correa de un Pekinés tuerto (¿Pekinés? *¡Zendala!*). Las luces de sodio del alumbrado público parpadeaban como gigantescas luciérnagas *(¡erewhons!)*. Un olor a hierbabuena escapaba de un jardín en el que un hombre calvo y de expresión melancólica regaba las plantas. "En algunos años, nadie recordará los verdaderos nombres de esas buganvillas y geranios", pensó Laredo.

En la esquina a cinco cuadras de su casa una mujer con un abrigo negro esperaba un taxi. Laredo pasó a su lado; ella volcó la cara y lo miró. Era joven, de edad indefinida. Tenía un mechón de pelo blanco que le caía sobre la frente y le cubría el ojo izquierdo. La nariz aguileña, la tez morena y la quijada prominente, la expresión entre recelosa y asustada.

Laredo se detuvo. Ese rostro...

Un taxi se acercaba. Giró y le dijo:

–Usted es Dochera.

–Y usted es Benjamín Laredo.

El Ford Falcon se detuvo. La mujer abrió la puerta trasera y, con una mano llena de anillos de plata, le hizo un gesto invitándolo a entrar.

Laredo cerró los ojos. Se vio robando ejemplares de *Life* en El palacio de las princesas dormidas. Se vio recortando fotos de Jayne Mansfield, y cruzando definiciones horizontales y verticales para escribir en un crucigrama "Puedo resistir a todo menos a las tentaciones". Vio a la mujer del abrigo negro esperando un taxi aquel lejano atardecer. Se vio sentado en su silla de nogal decidiendo que el afluente del Ganges era una palabra de cuatro letras. Vio el fantasmagórico curso de su vida: una pura, asombrosa, translúcida línea recta.

¿Dochera? Ese nombre también debía ser cambiado. ¡Mukhtir!

Se dio la vuelta. Prosiguió su camino, primero con paso cansino, luego a saltos, reprimiendo sus deseos de volcar la cabeza, hasta terminar corriendo las dos cuadras que le faltaban para llegar al escritorio en el que, en las paredes atiborradas de fotos, un espacio lo esperaba.

Tiburón

To what end the exertion, at awakening,
of not wanting to die, to what end?

Thomas Bernhard
Wittgenstein's Nephew

Una fría mañana de febrero en Berkeley, tomaba café y veía el informe deportivo en uno de los canales hispanos cuando sonó el teléfono. Era la voz cantarina de mi hermano, voz que no sabía dar malas noticias, acompañada por el eco de una mala conexión internacional. Después de saludarme hizo una pausa y me lo dijo sin ningún tipo de protocolo:

–Tiburón murió anoche. Manejaba después del baile de máscaras, estaba pasadísimo y se distrajo. Terminó en el fondo del Rocha, los nudillos destrozados, parece que golpeó las ventanas hasta que se quedó sin aire. Qué desesperante, ¿no? Esa manera de morir no se la deseo a nadie. La que se salvó fue Flavia. La había dejado en casa unos minutos antes, parece que volvía al baile o iba a casa de alguien con quien había quedado en encontrarse, tú sabes cómo era él. Bueno, te dejo. Lo siento mucho, brodi. Pensé que debías saberlo.

Apagué el televisor, terminé mi café. Me dirigí a la cocina, vi a través de las ventanas las casas diseminadas en las colinas, cuadrados y rectángulos de colores entre el verde de los árboles indecisos en el viento. Había olvidado el carnaval. Imaginé a papá y mamá en el Club Social, las serpentinas en el cuello y un gorro de papel en la cabeza, tarareando, nostálgicos, una canción que habían bailado juntos décadas atrás. Los años pasaban, uno perdía aunque no perdía. Podía adivinar los rumores en la soleada mañana cochabambina, los predecibles comentarios de tristeza y pesadumbre, el susurro malicioso que hablaba de justicia cósmica, la sugerencia de que uno no era víctima de las tragedias sino que se las ganaba a través de los actos de su vida. Tiburón, todos lo sabíamos, se había ganado hacía mucho un par de temporadas en el infierno.

Conocí al legendario Tiburón en mi último año de colegio, una lluviosa noche de febrero en casa de Wiernicke, un compañero de curso que se había compadecido de mi pobre vida social y me había invitado a formar parte de Los Supremos. Recuerdo que él estaba sentado a mi derecha en el living, al lado de una lámpara que lo envolvía en su luz brillante, tomando un chuflay y contando entre risas sus últimas andanzas, William y Daniel y los demás con rostros joviales y a la espera de cada una de sus palabras para colgarse de ellas y tratar de aprender el secreto que permitía el invariable sí de las niñas. Me sorprendió su baja estatura, su cuerpo regordete y su cara cachetona. ¿Era él el que hacía suspirar a las mujeres, el que las hacía engañar o dejar a sus novios para luego, en el espacio de un pestañeo, dejarlas él y tener que soportar el asedio de un corazón roto, uno más en una lista interminable? ¿Cuál era su receta? ¿Su capacidad para hacerte creer que tú eras su audiencia más importante y no había nadie más especial que tú? Al verlo gesticulando, entrecerrando los ojos para poner una cara a la vez agresiva y vulnerable, moviendo los brazos con intensidad y utilizando un castellano salpicado de inglés, "mamá mía, qué mujer, la miré y me dije *the hell with her boyfriend*", pensé que se trataba de algo que nadie aprendería aunque tomara clases particulares con él. Sentí pena por Lafforet, un flaco con un arete en la oreja, que escuchaba extasiado a Tiburón, como memorizando sus palabras: le esperaban muchas decepciones.

Apenas hablé con Tiburón, pero sus palabras se quedaron conmigo, por lo extrañas, por lo inesperadas. Después de un brindis, me miró y me dijo, la voz susurrante, como para que no lo oyera nadie más que yo:

–Monino, me recuerdas a mi papá. Tienes sus ojos. Murió en un accidente de aviación en Santa Cruz. Cada día que pasa pienso en él, y también pienso que ese será mi último día.

–No me asustes –le dije–. Tocá madera.

–Todos los días toco madera. Pero ni eso lo salva a uno.

Quise cambiar de tema, pero no pude. Protegido por la luz de la lámpara, Tiburón habló durante un cuarto de hora de la muerte. De cómo los diez adolescentes ingenuos en ese living, recién aprendiendo de la vida y seguros de su inmortalidad, terminarían algún día bajo tierra, el tiempo carcomiendo sus pieles y huesos hasta que no quedara nada, nada más que la nada. Tenía los músculos del rostro tensos, la mirada de alguien convencido de su verdad y dispuesto a predicarla a toda costa. Era un contraste tan fuerte con el Tiburón del resto de la noche que creí que se estaba burlando de mí, rito de iniciación del nuevo Supremo.

–Nada más que la nada –me repitió, antes de terminar su chuflay. Cuando salimos a la calle, la lluvia arreciaba y los relámpagos sacudían el cielo. Tres o cuatro paraguas aparecieron. Tiburón se perdió bajo el suyo y, sin esperar a nadie, se dirigió corriendo a su auto y gritando unas palabras de despedida. Nadie pareció sorprenderse de su actitud. Fuimos en busca de nuestros autos a paso apurado.

Al día siguiente, cuando Wiernicke me preguntó qué me había parecido mi primera noche en el grupo, le conté mi conversación.

–No le hagas caso –me respondió–. A todos nos tiene aburridos, que la muerte aquí, que la muerte allá. *Fucking death.* La culpa la tiene su abuelo, que lo llevó a ver películas de guerra hasta el cansancio. Si se va a duchar, cree que se va a electrocutar. Si se sube a un avión, está seguro de que se va a caer. ¿Te imaginas si le hiciéramos caso? Si uno cree que se va a morir el minuto siguiente, ¿para qué la vida?

–Me dijo algo de su papá.

–Jamás lo conoció –Wiernicke esbozó una media sonrisa–. Desapareció en su infancia. Tiburón creció con su mamá y sus abuelos. Su abuela me contó que un día, cuando era niño, Tiburón leyó de un accidente de aviación en Santa Cruz, y se le ocurrió que su papá viajaba ahí bajo nombre falso. Se lo repitió tantas veces que terminó por creérselo.

–¿Desapareció? ¿Así y punto?

–Parece que estaba lleno de deudas y que para pagarlas desviaba dinero del banco en el que trabajaba. Lo descubrieron, y él se escapó. Nunca más se supo de él. Ojo, lo que te cuento son rumores, no hay nada seguro.

–¿Y quiere que le hagamos caso? Me refiero a eso del accidente.

–En el fondo creo que ni él se hace caso.

Me quedé intrigado. ¿Cómo sería crecer sin un padre? ¿Era posible inventarse uno? ¿Y qué habría sido de mí sin papá para enseñarme a jugar tenis o comer tomatada de sardinas con queso roquefort, para llevarme al estadio a ver perder al Wilstermann, para responder a mis tontas preguntas sobre las mujeres, ese misterio que me intimidaba hasta la parálisis? Yo había tenido suerte. Sin embargo, las palabras de Wiernicke me sirvieron para entender mejor a Tiburón, al menos inicialmente. Tiburón era un mujeriego acabado, un cruel rompecorazones que vivía para seducir a las chicas más *cotizadas* de Cochabamba, aquellas que me hacían tartamudear apenas me saludaban, y para dejarlas una vez seducidas. Lo veía en el Mashmelo o en el Prado, del brazo de su pareja de turno (botas de cuero, apretados Levi's, le gustaba que se vistieran así), y me decía que era imposible asociar la muerte con él. Incluso llegué a pensar que usaba ese tema para sus conquistas. Al mencionar la muerte de su padre y hablar con tanta insistencia y angustia de su miedo, se mostraba frágil, abierto a los duros embates del mundo. ¿Qué mujer no quisiera esconderlo entre sus brazos y decirle que no tuviera miedo, que ella lo protegería?

A principios del siguiente año me fui a estudiar antropología a Berkeley, y no volví durante cuatro años. Los veranos, trabajaba como ayudante de investigación de algún profesor, para ahorrar los billetes que me ayudarían a continuar mis estudios (el dinero que recibía de mis papás no alcanzaba, pero no quería pedirles más: era más que suficiente que hubieran aceptado mi extravagante vocación). A través de cartas y llamadas esporádicas, me enteraba de los diversos caminos tomados por los Supremos, de matrimonios y amores y estudios. Lafforet se fue a vivir a Miami, Daniel a la Argentina, Corto Maltés se casó con su vecina, Wiernicke dejó la universidad y consiguió un excelente trabajo en la cervecería de su abuelo. ¿Tiburón? Sus amoríos eran cada vez más desenfrenados, los líos en que se metía pronosticaban un futuro en el que un novio o esposo, o una mujer despechada, pondría un revólver en su sien y dispararía. Y yo preguntaba por todos, pero debía reconocer que era la vida de Tiburón la que me fascinaba.

Cuando volví, un verano (verano aquí, invierno allá), habían aparecido en la ciudad muchos edificios al lado de iglesias coloniales y derruidos conventillos de principios de siglo, y las calles estaban limpias y los parques muy verdes, aunque los nombres de los políticos que adornaban sus paredes seguían siendo los mismos. Mi cuarto había sido ocupado por mi hermana menor, los pósteres de Bjorn Borg y Maradona habían dado paso a los de Sting y Bon Jovi, y yo terminé compartiendo la cama con mi hermano. Mis papás habían envejecido (mamá en una lucha desesperada contra las arrugas, ahorrando para hacerse un lifting con un médico cruceño), pero todavía estaban jóvenes, y no sentí la necesidad, la urgencia de pasar mis vacaciones con ellos. Tenía tres meses para disfrutar, y quería a mis amigos y a la noche que tanto había extrañado. Pero los Supremos habían bifurcado sus caminos y sólo quedaban unos cuantos en circulación. ¿Qué motivaba a la gente a casarse tan joven? ¿La costumbre, la inexperiencia, la falta de cosas que hacer en Cochabamba, el amor? Hasta Wiernicke estaba de novio, y había pasado a formar parte de esos grupos de parejas estables que se reunían los viernes y los sábados por la noche para jugar Pictionary o Trivial Pursuit y para hablar de los demás, de los amigos y de los que no lo eran, los casados y los solteros, los fieles y los infieles, los que se recluían en sus casas a ver videos y los que, como yo, todavía encontraban divertido caminar por pasillos de discotecas oscuras con un vaso de whisky en la mano, el turbio olor de los cigarrillos impregnándose sin descanso en la ropa, las miradas furtivas que podían terminar en moteles o en altares o en ningún lugar.

Por suerte, todavía podía contar con Tiburón. Me venía a buscar al atardecer, en un BMW verde con la carrocería desportillada, y me dejaba en casa en la madrugada. Había engordado un poco, se había dejado crecer bigote y patillas, usaba chamarras de cuero negro, veía dibujos animados con admirable fervor (el gallo Claudio era su favorito) y le hacía a la marihuana y a la coca. Estudiaba economía en la San Simón, aunque casi no iba a clases. Salía con Carmen, una morena que le llevaba cuatro años, divorciada y con un hijo de ocho meses, y muy original, le había regalado a *Harry el Sucio* en su primera cita (un Cocker Spaniel color ceniza, cojo de nacimiento, muy cariñoso, dispuesto a lamerte al menor descuido). Ella era la oficial: en tres meses supe de ocho aventuras, e imagino que hubo algunas de las que no me enteré. En todo caso, Tiburón parecía feliz.

Parecía. Una noche fuimos a la inauguración de una discoteca, Utopía, en la avenida América, Carmen me consiguió una amiga y Tiburón me dijo que esa era la última vez, yo debía conseguirme parejas por mi cuenta. Estábamos en una mesa en el segundo piso, envueltos por el humo de colores que olía a plástico quemado y salía de unos tubos en el techo, la voz de Prince atacándonos desde los altoparlantes, *"When Doves Cry"*. Carmen y Flavia fueron al baño, Tiburón hizo un comentario crudo sobre la necesidad de las mujeres de ir de a dos al baño, rio con una franca carcajada y yo hice lo mismo. Tiburón alzó su Etiqueta Negra y brindó por nuestra amistad.

–Por nuestra amistad –repetí, y acabé mi vaso.

–Y mejor apurate en largarle los perros a Flavia.

–¿Tan pronto?

–*She's ready.* Si te tardas va a pensar que eres un gil. ¿En qué siglo estás, papá?

Tiburón se entretuvo en mirar a una rubia de minifalda de cuero negro, *la hermana de Horacio está punto caramelo,* y de pronto su sonrisa se borró y me miró como la noche en que lo conocí, los desorbitados ojos de fanático, y me dijo, estrujando una servilleta:

–Sí, ya sé lo que piensas. Que soy un *fucking son of a bitch.* Pero lo hago por el bien de ellas. No quiero que se aferren a mí. ¿Te imaginas compartir tu vida con alguien y de pronto, de la noche a la mañana, que ese alguien desaparezca? ¿Qué haces? ¿Qué mierdas haces? No quiero que nadie pase por lo que le he visto pasar a mi vieja.

Iba a decir algo cuando Carmen y Flavia volvieron. Flavia tenía las piernas largas y la cara dulce, aparentaba los diecisiete años que tenía.

–Qué silencio –dijo Carmen apoyando una mano cariñosa en la rodilla derecha de Tiburón–. No nos digan que interrumpimos algo. No nos digan, porque ni modo, ya lo interrumpimos.

–Hablaba de la muerte –dijo Tiburón en un tono solemne, y pensé que se trataba de una broma, y creo que Carmen también pensó lo mismo, y ambos sonreímos, pero Flavia no, y le preguntó qué específicamente de la muerte. Fue suficiente: acompañado por la voz irónica de los Pet Shop Boys, sus dedos jugando con los hielos de su whisky, Tiburón nos habló de tías y abuelos que acababan de morir, de periódicos que debían aumentar las páginas dedicadas a la sección de crímenes y a las necrológicas, de un mundo en perpetuo estado de desintegración, los cadáveres superando a los nacimientos en hospitales, a los signos de renovación de la vida en los parques. Y ya no era broma: había muerte dondequiera posara uno la mirada, Cochabamba era un inmenso cementerio, el mundo era un inmenso cementerio, y el próximo sería él, acaso un camión nos esperaba en la próxima curva, las calles eran tan angostas, o quizás su madre, tan distraída, dejaría esa noche la llave del gas encendida, qué tonta manera de morir, asfixiado, o quizás un rayo en la tormenta o un incendio en la madrugada, los pinos de la casa eran el sueño mojado de cualquier pirómano. Carmen tenía una expresión de desgano, había escuchado ese rollo ya muchas veces y parecía vacunada. Flavia sonreía, incómoda, como atrapada en un vestido de novia frente al altar, y sin saber qué decir después de las palabras del cura.

–Ya que vamos a morir –traté de aligerar el ambiente–, será mejor que lo hagamos después de bailar un rato.

Carmen y Flavia rieron y asintieron. Nos dirigimos a la pista de baile. A mi pesar, me sorprendí más tarde persignándome, bailando junto a tanta gente que hacía mucho que había iniciado la corrupción de su carne y no lo sabía, una pasada rápida de mi mano derecha por la frente y el pecho, que nadie me viera, sería ridículo.

–Haces bien en persignarte –me dijo Tiburón al sorprenderme, bailaba a mi lado con Carmen–. Mejor estar preparado.

No pude más y, en plena pista de baile, sin soltar a Flavia, Air Supply en los parlantes, le endilgué a Tiburón una parrafada llena de lugares comunes, acerca de lo hermosa que era la vida, con sus auroras y crepúsculos y ruiseñores y los jazmines en flor y nuestra juventud y las tantas cosas que todavía nos quedaban por descubrir, mujeres y películas y países exóticos, y le dije que la muerte era un hecho natural que llegaría cuando tuviera que llegar, y que mientras tanto había que disfrutar de la vida, emborracharnos y abrirnos a nuevas experiencias. Me miró sin soltar a Carmen, movió la cabeza con incredulidad y me dijo:

–No entiendes. Pensé que sí, pero no. Allá tú.

Me hubiera gustado agarrarlo a golpes hasta que aceptara su estupidez y me prometiera jamás volver a tocar el tema. No lo hice. Sabía que nada lo sacaría de su torpor. Se me ocurrió que lo suyo, equivocado o no, era sincero. Seguimos bailando, yo mecánicamente, hasta que de pronto sentí los labios de Flavia en los míos, y cerré los ojos acompañado por Pink Floyd, *"so you think you can tell blue sky from pain, heaven from hell..."*

Al llegar a casa esa noche, mis pasos me llevaron al cuarto de mis padres, oloroso a menta, mamá y sus cremas y los denodados esfuerzos por detener el paso del tiempo o al menos disminuir su velocidad. Papá roncaba y mamá parecía perdida en un sueño plácido, que seguro mezclaba un vívido incidente de su infancia con uno olvidado del día anterior. Me quedé mirando a esos extraños conocidos un buen rato, velando su sueño, y sentí, por primera vez, que habían transcurrido cuatro años sin su compañía. Tuve miedo de lo que vendría, de mi pronta ausencia y de la acelerada forma en que llegaría, para ellos, la edad de los huesos resquebrajándose como polvo y los traicioneros ataques al corazón y el cáncer invisible trepando con sigilo por órganos inermes. ¿Dónde estaría yo, en qué casa prestada del norte me sorprendería un ominoso llamado telefónico?

–¿Qué pasa, hijito? ¿Estás borracho?

–Nada, mamá. Entré a despedirme. Buenas noches.

En el mostrador del LAB en el aeropuerto, mientras Flavia me ayudaba a despachar mis maletas a una muchacha con una cicatriz en la mejilla derecha, y mamá hacía esfuerzos por contener el llanto, Wiernicke se acercó a despedirse de mí y me dijo que quería hablar en privado. Fuimos al baño, en el que un ambientador de pino silvestre no era rival para tazas impregnadas de orín. Wiernicke encendió un cigarrillo turco.

–No quiero meterme en tu vida –dijo–. Tú sabrás lo que haces. Pero tampoco quiero quedarme sin decírtelo. Fuiste un boludo en juntarte tanto con Tiburón.

–¿Por qué? –respondí a la defensiva—. Me parece un tipazo, contigo en las buenas y en las malas.

–Ya nadie lo soporta. Has hipotecado gratis tu buena fama.

–Vengo de vacaciones, ustedes están en la suya, él es

el único que me da bola, ¿qué quieres que haga? Además, me preocupa. Lo veo tan…

–A ti te ofrecen el obelisco y capaz que lo compras. Es un farsante de mierda. Lo suyo es disco repetido, una excusa para seguir haciendo lo que le da la gana. Si tuviera tanto miedo como dice, no subiría jamás a un avión. No estaría metiéndose con una y otra y arriesgándose a que alguien le vuele los sesos. Pobre Carmen, tan buena gente y la hace quedar como la boluda más grande que pisó la tierra.

–Pero.

–Y si es verdad, ojo, si es verdad, sólo un tipo tan creído como él puede quererse tanto como para tener tanto miedo a que le caiga un rayo una noche de tormenta.

Recordé esa lejana noche en casa de Wiernicke, cuando lo conocí, los relámpagos iluminando el cielo cargado de nubes, y recién entendí por qué Tiburón había corrido a su auto.

–O sea que, de una forma u otra, es un tipo que no vale. Creí que era tu amigo.

–Era. Hasta que me enteré de que me puso cuernos con mi chica. No, la de ahora no. Flavia.

–¿Flavia?

–Fue hace tiempazo.

–Pero si es una niña…

–Tu suerte es que no vives aquí. Las chicas tienen tanto apuro en casarse que a partir de cierta edad sólo puedes elegir entre divorciadas o colegialas. Flavia tenía quince cuando la conocí. Vivísima, yo estaba de ida y ella ya había vuelto tres veces. No estuvimos mucho, ni dos meses. Pero igual.

–Debiste habérmelo dicho antes... Lo mío no es nada serio, hemos quedado en que me subo al avión y se acaba la cosa...

–No me tienes que dar explicaciones. El problema no es contigo. Bueno, ya está hecho, ¿no? Tus viejos te deben estar esperando.

En el 727, recostado en una almohada y con un bebé llorando a mi lado mientras su mamá se ensimismaba en una novela de Isabel Allende, me dije que entendía la rabia de Wiernicke, pero que a la vez creía que Tiburón era algo más complicado que un simple farsante. Me pregunté qué lo había llevado a ser como era. ¿El papá desaparecido? ¿Las películas de guerra que su abuelo lo había llevado a ver? ¿Algún hecho de la infancia que ni siquiera él recordaba? Era inútil, no había fórmulas para descubrir el entreverado camino que nos llevaba a nuestras más profundas obsesiones, el mismo hecho podía dar lugar a formas de ver la vida opuestas y contradictorias. El bebé me tocó con una mano pringada de caramelo, vi las lágrimas discurrir por sus mejillas y reapareció la imagen angustiada de mi madre en el aeropuerto, su llanto imparable al despedirse de mí. Me consolé pensando que al menos yo no era como Tiburón. No, yo tenía otras angustias. Lo mío no era el miedo al fin definitivo, sino el camino que conducía hacia ese fin, las pequeñas y cotidianas pérdidas que daban origen a la nostalgia, los días que pasaban y nos envejecían, los amigos que ya no eran tales, el fútbol que se había convertido en béisbol y basquetbol, Maradona y Borg transformados en Bon Jovi, el verano que era invierno allá y viceversa. Tiburón, lo sospechaba, había despertado ese miedo en mí. Eso era lo que me ataba a él, lo que sólo yo parecía haber visto en él, o al menos eso creía.

Después de esa vacación intenté ir a Cochabamba al menos dos veces al año, para las navidades y en los veranos. Era mi forma de aferrarme a aquello que era mío pero ya no lo era, la ciudad cada vez más llena de edificios al lado de iglesias y conventillos, era mi forma de aliviar la culpa de no acompañar a mis padres en su vejez, de no compartir más tiempo con mis hermanos. Había pensado muchas veces en volverme definitivamente pero, ¿qué haría un antropólogo en un país de políticos y comerciantes? No quería frustrarme como tantos otros con una vocación cultural, condenados a abrir restaurantes o videoclubes para sobrevivir.

En esas vacaciones yo estaba con Jennifer, una californiana pelirroja con el tatuaje de una mariposa en el cuello y una mezcla rara de religiones en la cabeza, el *New Age* de la mano del misticismo hindú y todo ello sazonado con un taoísmo aprendido en *La guerra de las galaxias*, Jennifer que no sabía de mi enfermiza timidez y quizás por eso no tuvo problemas en aceptarme, primero como *boyfriend*, luego como *roommate*, después como esposo, yo siempre fiel a la causa y además orgulloso de serlo. No volví a salir con Tiburón, pero no dejé de estar al tanto de su vida cada vez más sórdida, de drogas y borracheras e infidelidades y trabajos que no eran tales.

–Es un farsante –repetía Wiernicke con el tono de odio que guardamos para los amigos íntimos que nos fallaron–. Resulta que muchas de las aventuras por las que lo admirábamos eran mentira. Patricia dice que jamás se acostaron, Raquel, que no salió con él ni en pelea de perros. Acepto que nadie tiene su historial, pero ya me parecía sospechoso que se hubiera agarrado prácticamente a todo Cocha. Un poco más y según él se había cogido hasta a nuestras mamás.

El hecho culminante ocurrió cuando Flavia, su pareja del momento (!!), lo encontró, gracias a un llamado anónimo, con la esposa de un futbolista de la selección nacional en la cama de un motel en el camino a Sacaba, un lunes por la mañana. Tiburón desapareció durante seis meses y cuando volvió sorprendió a todos anunciando su casamiento con Flavia. Recordé la cara ingenua de Flavia cuando Tiburón predicaba su evangelio en la discoteca, años atrás, y me pregunté si Wernicke tenía razón y si yo también había sido un ingenuo. Se me ocurrió que una cosa no excluía a la otra, que pese a ser un farsante, o porque lo era, Tiburón me había enseñado a ver cosas que gente más apegada a la norma no había podido. El casamiento fue en privado. Pese a todo, le deseé lo mejor, aunque en el fondo sabía que no tardaría en volver a las andanzas.

Esa fría mañana de febrero en Berkeley, después de recibir el llamado de mi hermano, lavé la taza de café y los platos de la noche anterior. Jennifer dormía. Me dirigí al living y me senté en el viejo e incómodo sofá negro, devorador de monedas y lapiceros. ¿Qué sería de *Harry el Sucio*, quién cuidaría de él? *Harry*, el Cocker Spaniel cojo que, de acuerdo con Tiburón, podía presentir cuando se venía, y comenzaba a aullar en un tono lastimero, patético, en el preciso momento en que Tiburón sentía que emprendía el camino sin retorno. ¿Qué diría la justicia cósmica del destino del pobre *Harry*, quizás la calle o una deprimente perrera o una tía compasiva?

Sentado en el sofá, pensé en los nudillos destrozados de Tiburón, en *Harry el Sucio* y en los rumores que estarían circulando en Cochabamba, en el murmullo acusador que hablaba de una justicia cósmica. Recordé a los diez Supremos de aquella noche en casa de Wiernicke y pensé que no se trataba de justicia cósmica. Lo único que había hecho Tiburón era enfrentarse a las sombras antes que los demás, dar el paso definitivo hacia ese lugar que tanto temía pero que acaso, uno nunca sabe, deseaba, el paso que todos nosotros, recién aprendiendo de la vida y seguros de nuestra inmortalidad, daríamos en un orden que desconocíamos, quizás jóvenes o quizás no tanto, el próximo Lafforet o quizás Wiernicke o quizás yo, probablemente después pero tal vez antes de papás que no cesaban de roncar y mamás con cremas olor a menta en las mejillas arrugadas, un día que no sospechábamos, en invierno o en verano –en el invierno que era verano–, quizás la noche después del segundo matrimonio de un amigo o la mañana en que decidiríamos jubilarnos para dedicar más tiempo a los nietos, en una geografía quizás muy conocida o inesperada, en el lugar del nacimiento o en Berkeley o en un crucero en el Caribe (un hueso de pollo que se nos atraganta, tan peligrosa la comida en los barcos), hasta que terminaríamos algún rato todos bajo tierra, el tiempo carcomiendo nuestras pieles y huesos hasta que no quedara nada, nada más que la nada.

Amor, a la distancia

Anoche, mientras salía de mi departamento con dos botellas de vino tinto entre las manos, se me ocurrió, Viviana, que tú jamás sabrías de ese pequeño detalle si yo decidiera no contártelo. Las botellas de vino tinto, la sonrisa en los labios, el aire de expectativa ante la inminencia de una fiesta que prometía mucho y efectivamente cumplió: pequeños detalles que tú quizás jamás sepas, así como yo no sé de tantos pequeños detalles tuyos. Dicen que las relaciones son precisamente esas minucias que nos pasan mientras estamos ocupados haciendo o diciendo cosas importantes, y lo nuestro es una ausencia de minucias, nos contamos algunas cosas pero no es suficiente, esa es la naturaleza de la relación a la distancia, tres o cuatro meses de hablar por teléfono una o dos veces por semana, en general quince minutos y en el mejor de los casos media hora, si tenemos suerte una buena conversación y si no los inevitables malentendidos, las frases a medias, las diferencias de tono (cómo importa el tono de voz en el teléfono, la forma es más importante que el fondo) porque a veces uno se siente muy cerca de la otra persona y la otra no y viceversa, así hasta el reencuentro y el regreso de las minucias al menos por un tiempo, hasta la próxima separación.

En la fiesta conocí a una chica española, Cristina, había llegado a Berkeley por dos semanas a visitar a su hermana. Hubo una conversación trivial, hubo un par de sonrisas sugerentes y vino tinto y cerveza, hubo el contagioso merengue de Juan Luis Guerra y de pronto, Viviana, me encontré bailando con exaltada pasión. La estaba pasando muy bien y por ese momento pude olvidar el *allá* y el *futuro*, los diversos territorios y tiempos en los que uno habita en una relación a la distancia, y concentrarme en el *acá*, en el *ahora*. Luego me sentí culpable, como siempre me siento cuando la paso bien sin ti, cuando me dejo llevar por el ruido del mundo y descubro que también puedo ser feliz en tu ausencia. Para alguien que nunca dudó de ninguno de los mitos que generaciones pasadas nos legaron acerca del amor, esa verdad produce angustia y amargura: porque uno cree literalmente en los mitos y cuando descubre el amor piensa que es cierto, uno no puede vivir sin el ser amado, sin ese ser al lado hay insomnios continuos y una desgarrada, quieta desesperación (lo que tienen que soportar las almohadas) y a veces no tan quieta. Angustia y amargura, porque uno descubre que puede vivir sin el otro ser, la impiadosa vida continúa y hay que sobrevivir, de algún modo hay que ingeniársela para construir un mundo en que la otra persona esté pero no esté, sea imprescindible pero no sea imprescindible. Y así, Viviana, nuestro gran amor se convierte en un amor más, un amor que pudo no haber sucedido aunque nosotros creamos que el destino nos tenía reservados el uno para el otro, un amor lleno de debilidades y olvidos y traiciones como el de tantos otros, un amor que después de todo es lo único que tenemos y es lo único que nos va a redimir de una vida llena de debilidades y olvidos y traiciones.

Cuando te llame el domingo, comenzarás por contarme lo que hiciste esta semana, un par de veces a comer salteñas al Prado, con tus amigas, el miércoles a las Torres Sofer con tu mamá, lo demás rutina, amor, sabes lo aburrida que es Cochabamba. Luego me dirás que me extrañas mucho y me preguntarás qué hice esta semana. Y yo también te diré que te extraño mucho y te narraré la historia de esta semana. Será una narración despreocupada, con un tono casual de voz, quizás palabras diferentes a las del anterior domingo pero siempre el mismo mensaje, por aquí no pasa nada, sin ti no pasa nada, me aburro mucho y me siento solo y no veo la hora de volver a verte. Si tuviéramos una relación libre sería diferente, podríamos contarnos las cosas que hacemos, con quién salimos y etcétera, pero el problema es que ninguno de los dos puede aceptar una relación así, nos creemos modernos pero no tanto, hemos decidido que si hay verdadero amor hay fidelidad y confianza, con nuestras palabras hemos creado un amor en el que no podemos fallarle al otro, en el que ambos valoramos muchísimo la fidelidad y confiamos muchísimo en el otro. Hemos creado una pareja que está muy por encima de nuestra realidad, y ninguno quiere ser el primero en destruir esa imagen. Es verdad que me siento muy solo y no veo la hora de verte, pero no es verdad que no pase nada (siempre pasan cosas). Te diré que el viernes fui a una fiesta, que estuve hasta temprano y pensé mucho en ti, que sentí mi soledad magnificada ante el espectáculo de tantas parejas felices juntas, amor, odio la relación a la distancia pero lo hago sólo por ti, tú vales la pena cualquier sacrificio. Y es verdad que tú vales la pena, que no te quiero perder. Pero tampoco te puedo contar muchas cosas porque sin secretos ninguna relación subsistiría: imposible tolerar la verdad, toda la verdad y nada más que la verdad. Cómo contarte, por ejemplo, que después de la medianoche besé a Cristina en el balcón con un ardor que no sentía hace mucho. Cómo contarte que un par de horas después, en el jardín y protegidos por las sombras, Cristina deslizó su mano derecha entre mis ropas hasta encontrar lo que buscaba, y cuando lo encontró no lo soltó hasta que yo tuve que pedírselo por favor, era tanto el placer y luego el dolor. Cómo contarte, Viviana, que Cristina y yo, ebrios y olvidados de todo excepto de los dos, nos fuimos a mi departamento y allí nos embarcamos en un viaje de jadeos y temblores hasta el fin de la noche.

Pero, ¿existieron alguna vez los amores perfectos? Quizás en la relación a la distancia existan personas que actúen a la altura de las circunstancias, que piensen imposible fallarle al otro por diversas razones, acaso por amor, acaso porque no quieren fallarse a sí mismos. Es, después de todo, una prueba de carácter, de fortaleza moral. Pero la mayoría de nosotros somos bajos, no estamos a la altura de las circunstancias, la otra persona no está cerca y uno tiene tanto tiempo libre, las tentaciones acosan sin descanso y una cosa lleva a la otra y la carne es tan, tan débil. El primer paso es muy difícil, las cosas están tan frescas todavía, uno va a una fiesta y el rostro y la piel y las palabras del ser ausente están con uno todavía, por favor, prométeme que jamás me fallarás, te amo tanto tanto. Y uno se siente tan orgulloso de ser fiel, Viviana, de saberse respondiendo a la confianza depositada, seguro que tú algún rato también sentiste lo mismo. Pero después, uno se aburre y hay tanto tiempo libre, uno va cediendo poco a poco, uno llama a esa morena de la linda sonrisa que uno conoció por azar (el azar es culpable de todo, de las pequeñas aventuras, de los grandes amores) mientras aguardaba al bus, la morena de conversación superficial y nombre poético, Soledad, pero uno se olvida poco a poco de la conversación superficial y se acuerda de la linda sonrisa y del nombre poético, y una noche uno está estudiando y el estudio aburre y el teléfono tienta, por qué no, no pasará nada, charlar no es un pecado. Así, casi imperceptiblemente, se inicia la cadena de pequeñas traiciones. Con la morena no pasará nada, quizás un café (la conversación superficial) y un par de leves insinuaciones y el miedo inmenso de que esas insinuaciones sean tomadas en serio, no pasará nada, pero después uno está más predispuesto para la próxima, ojalá que sea una persona muy interesante, después será el fugaz enigma de Sofía y cuando uno llega a darse cuenta del territorio en que ha ido a parar ya es tarde, ya es muy tarde.

Mis amigos dicen que en realidad no estoy enamorado, si lo estuviera no sería capaz de hacer lo que hago. Sin embargo, Viviana, pienso que ya he pasado la etapa de la visión maniquea del mundo, pienso que puedo ser capaz de amarte mucho, y acaso aún más que antes, al mismo tiempo que suceden las cosas que suceden aquí. Sería acaso mucho más fácil para mí que una cosa excluya a la otra, pero no, una cosa es el amor y otra la necesidad, nuestra inherente fragilidad, la hermosa espina de la tentación, el miedo que tenemos a quedarnos solos, lo fácilmente que estamos dispuestos a desprendernos de nuestros principios por unas horas de ternura y placer, un instante de compañía. Una cosa es el amor y otra la distancia, o al menos eso es lo que creo ahora, eso es lo que quiero creer ahora, quizás cuando estemos juntos de una vez por todas y para siempre las cosas sigan así, de vez en cuando la tentación, de vez en cuando la fragilidad, tampoco es una cosa o la otra, la distancia o la cercanía, las pequeñas traiciones pueden aparecer en ambas situaciones, el amor puede continuar con pequeñas traiciones en ambas situaciones.

Y no soy ingenuo, y sé que lo que hago lo puedes estar haciendo tú también, quizás tu ida a la discoteca el anterior fin de semana, con tus amigas, haya acabado en las faldas del San Pedro, la silueta recortada del Cristo de la Concordia en la cima, con el fondo de la suave música que emanaba de la radio del auto del desconocido de ojos negros con el que te cruzaste al ir al baño, pensaste qué hermosos ojos y así comenzó todo. No soy ingenuo, y probablemente tú tampoco lo seas, pero lo cierto es que estamos atrapados por nuestras propias imágenes de lo que queremos pero no podemos ser, y no podemos decir ciertas cosas, no podemos confirmar ciertas sospechas, todo está bien entre los dos mientras no digamos en voz alta (o acaso un susurro baste) todas aquellas cosas que sospechamos y preferimos no oír. Para seguir, debemos continuar con nuestro secreto a voces. Apenas alguien abra la boca, se romperá el encantamiento.

Por eso jamás te enviaré esta carta. Preferiré publicarla en el suplemento literario de algún periódico, escudado en la ficción. Y cuando alguna de tus amigas que haya leído el cuento te pregunte cómo puedes seguir conmigo después de mis públicas admisiones, tú me defenderás y le dirás que no confunda la realidad con la fantasía, le dirás que ese es el precio de enamorarse de un escritor. Pero quizás algún rato te venga la duda, y me confrontes y me pidas que te diga con toda sinceridad si hay algo autobiográfico en ese cuento. Y yo recordaré el momento en que lo escribí, este momento, las once de la mañana en mi habitación, Cristina todavía durmiendo en mi cama, con la respiración acompasada y lejos de mí y del mundo, el perfecto cuerpo desnudo, la perfumada piel canela, y recordaré haber hecho una pausa antes de terminar de escribir el cuento, una pausa para admirar el cuerpo desnudo, y te diré sin vacilaciones que no, ese cuento no tiene nada autobiográfico, ese cuento es una ficción más, todo lo que se relaciona conmigo es, de una forma u otra, ficción.

Persistencia de la memoria

Oscar me había llamado dos veces para pedirme que no me olvidara, en diez días –el 26 de diciembre– era la reunión anual del curso y yo debía llevar algunas fotos de aquellos tiempos, más de once años atrás, en que corríamos por el patio del Don Bosco, jugábamos fútbol en la cancha de pasto, ya desaparecida, y con nuestras travesuras hacíamos que los padres salesianos reconsideraran más de una vez su vocación religiosa. Once años ya sin darme cuenta, toda una vida fuera del país, toda una vida haciendo que el tiempo cometa cosas conmigo en una geografía distinta a la que me había ofrecido el azar en el principio.

Las fotos de mi adolescencia las guardaba mi madre en un cajón de un mueble desvencijado en el departamento al que se fue a vivir después de su divorcio y de que sus cuatro hijos se marcharan de su lado, decidieran enfrentar el futuro lejos de la polvorienta ciudad, asfixiante en su rutina, poco sorpresiva aun en sus sorpresas. Eran muchas, muchísimas fotos, lo cual era esperado porque siempre tuve el defecto de creer que las cosas no suceden si uno no tiene un registro fotográfico de ellas: necesito de esos rectángulos en blanco y negro o a color para fijar lo que no se puede fijar, para detener el imparable fluir de la vida (ya no llegué a la filmadora, las cosas cambian muy rápido y uno no puede estar siempre a la moda, en algunas cosas somos actuales, en otras anacrónicos). Son las marcas en el camino, los lugares donde uno se detuvo un instante para hacer un fuego y calentar el cuerpo antes de continuar la marcha, las fluctuantes boyas de nuestros embravecidos mares propios. Tengo ese defecto, y también otro (o acaso este sea una virtud): ir acumulando una multitud de fotos y no darme tiempo para revisarlas, para recordar a través de ellas momentos atrapados por casualidad –un partido de fútbol contra La Salle, a los doce años, el audaz salto a una fogata de San Juan a los catorce–, o porque en aquel entonces se los creyó importantes –una graduación de colegio, el quince de la hermana–. La vida no me da ocasiones para revisitar mi vida o tal vez el nuevo ser que soy yo no está muy interesado en indagar en los rostros, gestos y circunstancias de aquellos otros seres que fui yo. Y así las fotos se quedan tal como fueron entregadas por los laboratorios fotográficos, en sobres de frágil papel con un compartimiento especial para los negativos, a veces, gran cosa, en un pequeño álbum obsequiado porque fueron dos o tres los rollos revelados, tan generosos los laboratorios.

Era una tarde de lluvia y viento y yo me encontraba en el living del departamento de mi madre, tirado sobre la alfombra y al lado del arbolito de Navidad, de parpadeantes luces de colores, revisando fotos. Tantos recuerdos, era ineludible ponerse nostálgico. La sonriente cara de Antúnez, que se la pasaba contando chistes y fumaba cigarrillos negros incluso en clase; quién lo diría, hace tres años que está en la cárcel, apresado por narcotráfico. Juanito Barahona de *shorts* y con la pelota entre las manos como diciendo que era suya, y sí, era suya, nadie se la podía quitar, qué gambeta que tenía; quién hubiera imaginado que terminaría sus días incendiando su casa y pegándoles un tiro a su esposa y al amante de su esposa antes de descerrajarse la tapa de los sesos, de esto hace tan sólo un año. Villalobos, una mosquita muerta y ahora todo un concejal, pidiendo prestado en los recreos para una salteña y ahora una casona detrás del Irlandés, con un inmenso jardín en el que hay hasta un pavo real, la política da para mucho. Rosales y sus dientes largos y afilados, le decíamos *Drácula*, era el mejor alumno del curso y no defraudó las esperanzas que mucha gente puso en él, Oscar me contó (todas estas cosas las sé por él) que ahora es el dueño de una de las empresas de computación más importantes del país. Quién hubiera imaginado en qué se convertirían aquellos muchachos imberbes, de sonrisas fáciles y rostros aún no ultrajados por el tiempo, quién hubiera imaginado de qué manera parsimoniosa o violenta los devoraría la vida, qué fracasos o triunfos o rencores o ansiedades les pondría en las espaldas antes de dar definitivo fin con ellos.

Había escogido cuatro fotos cuando encontré una que me llamó particularmente la atención. Era una Polaroid sacada en una fiesta, y en ella estábamos Oscar, Lafforet, yo y una chica que no recordaba conocer. La chica estaba abrazada a mí, sonreía y tenía una mirada extraviada, acaso el alcohol. Sus aretes eran grandes esferas de cristal verde, su collar era de coloridas perlas. Su rostro era redondo y plano, sobre su frente amplia caían rizos de su despeinada cabellera negra; no era un rostro interesante, y sin embargo me quedé mirando la Polaroid y hurgando en mi memoria, en ese inacabable territorio del que sabemos tan poco, en esa tierra que creemos nuestra pero en realidad es de nadie. Una mujer lejana a mí, en un pozo oscuro del cual había salido para abrazarme, un momento después del abrazo de nuevo en el pozo oscuro, sin nombre, sin señas particulares dignas del recuerdo, sin que hubiera hecho nada que la apartara de la gigantesca masa informe de personas, frases y hechos que cada vida acumula en el olvido, o al menos eso pensaba.

Y de pronto, Alexia. Ella era olvidable, pero el nombre no. En la tarde de lluvia y viento, las esparcidas astillas de la memoria fueron juntándose, tratando de reconstruir cierta noche más de once años atrás y de inventarla en el proceso. Había sido en casa de Oscar (o Lafforet), en un cumpleaños (¿o no?). Ella había coqueteado conmigo toda la noche, y Oscar me había puesto al tanto de lo que necesitaba saber: "un poco mayor que nosotros, una reventada, no necesitas ni hacerle el charle, es de las que se encaman la primera noche". Habíamos seguido intercambiando miradas, ella tenía buen cuerpo –la cintura muy estrecha– y yo le tenía ganas, creo que no me le acerqué porque quería más noche, que mis amigas no nos vieran juntos. Creo después haberme acercado a ella (¿o fue Alexia la que se acercó?), creo haber bailado un par de canciones y que después de estas ocurrió la Polaroid, la boya que recuperaba para mí esa noche insignificante que se animó a persistir en el recuerdo, agazapada entre las sombras y anhelante durante más de once años, presta a emerger a la superficie a la menor excusa y dar el zarpazo, uno nunca sabe qué va a suceder, olvidamos los hechos que creemos inolvidables, las caras y las frases que pensamos que nunca se van a ir de nosotros, y recordamos los hechos insignificantes, los gestos de los que no nos dimos cuenta cuando sucedían. La memoria se anima a olvidar nuestros recuerdos, se anima a recordar nuestros olvidos.

Después sí, claro, cómo no, ella había ofrecido llevarme a casa en su auto, pero terminamos en un motel que hace tiempo no existe más, mi ciudad desaparece y en su lugar se erige otra que ya no es mía aunque lo parezca, son otros los moteles, son otras las heladerías y salteñerías, y la cancha de pasto en que Barahona nos gambeteaba a todos antes de incendiar su casa y pegarse un tiro tampoco está más. Y la habitación olía mal, a ambientador barato, frutilla (o quizás fue otro el olor y esto lo añado hoy), y el perfume de Alexia también era ordinario como lo eran el carmín de sus labios y su estridente carcajada. Pero sabía de polvos, y hubo dos que esa noche me atreví a pronunciar *inolvidables* aunque luego se escaparon de mí durante más de once años, como se escapan tantas cosas que creo inolvidables, como se me escapará la reunión de curso del 26 de diciembre, como se escaparán tantos hechos importantes de esta vacación –la Navidad con la familia, el año nuevo con los amigos–, aunque acaso quede el encuentro casual con Gustavo esta mañana, al salir del Shopping Sofer, Gustavo a quien jamás presté atención, amigo por pertenecer al mismo círculo social y que me habló tantas veces en tantos bares y discotecas y yo como oír llover, como oigo la lluvia en esta tarde de viento que ya no sé –ya no me animo a pronosticarlo– si se animará a quedarse o perderse en la memoria.

No hubo más. No recuerdo más detalles, por ejemplo, quién pagó el motel, probablemente ella, yo no andaba con plata en la adolescencia, yo era de autos y no de moteles. Habré llegado a casa cansado, ya ella de regreso al pozo oscuro aunque quizás todavía no, yo saboreando la historia que les contaría a Oscar y Lafforet al día siguiente, con Oscar sería suficiente para que se enterara todo el curso, para que se enterara Antúnez que en ese entonces fumaba pero no tenía planes de convertirse en narcotraficante, para que se enterara Villalobos que todavía no había descubierto que gracias a la política uno podía tener un pavo real en el jardín. Una anécdota más, un polvo más de adolescencia, dónde estarán aquellas mujeres con las que me inicié, dónde estarán Alexia y las otras que me prestaron sus cuerpos pero no los rasgos distintivos de una personalidad, un carácter, un alma, que me enseñaron con la piel pero no con lo que existe detrás de la piel –no era culpa de ellas, yo no buscaba nada detrás de nada–, cuando uno todavía creía que era una regla que lo superficial se olvidara y lo esencial quedara grabado para siempre en nosotros.

Esa noche hablé con Oscar y le mostré la foto. El tampoco recordaba aquel rostro y aquella noche, pero sí le quedaba el nombre, no había muchas Alexias en la ciudad, conocía a una que trabajaba en una perfumería en la avenida Ayacucho. Se había casado y tenía un hijo, pero las malas lenguas (en Cochabamba todas las lenguas son malas) decían que sólo se acostaba con políticos, era una mujer que ya no estaba a nuestra altura, quizás sí a la de Villalobos, el mosquita muerta que en ese entonces no agarraba ni resfriados. Tuve ganas de saber más de ella, de ver en qué era actual y en qué anacrónica, de descubrir de qué manera parsimoniosa o violenta la había devorado la vida, qué fracasos o triunfos o rencores o ansiedades le había puesto en las espaldas antes de dar definitivo fin con ella. Tuve ganas de ver en qué se habían convertido el cuerpo voluptuoso y el rostro ordinario.

A la mañana siguiente fui a la perfumería, en la avenida Ayacucho que hace once años era calle, todavía llovía pero el viento había amainado. Dos señoras se probaban Montana y discutían en voz alta acerca de sus méritos, cada mes se lanza un perfume nuevo, lo pasajero es más honesto que aquello que nace con afán de perdurar y de todos modos no persiste, nada persiste. Esperé que la mujer detrás del mostrador terminara de atenderlas, la mujer de aretes grandes –estalactitas de cristal verde– y una frente amplia que permitía proyectar y superponer el rostro de la Polaroid al suyo. Un rostro más, olvidable si uno no tiene una foto en el bolsillo, aunque ni con la foto me eran reconocibles esos rasgos, los estragos del tiempo pueden dar cuenta tanto de lo importante como de lo insignificante.

Cuando terminó de atender a las señoras, ella se me acercó y me preguntó con voz ronca en qué podía servirme, y yo recordé a una mujer desnuda en la cama utilizando ese mismo tono. Pudo haber sido Alexia esa lejana noche. Quise que fuera Alexia.

Siempre he usado Fahrenheit pero, no sé por qué, le pregunté si tenía Carolina Herrera para hombre (o sí lo sé, Oscar usa Carolina Herrera, anoche se lo sentí, me gustó y le pregunté por el nombre). Ella asintió y se dio la vuelta y buscó el perfume en uno de los mostradores. Y yo miré el cuerpo excesivo, la cintura ceñidísima con un cinturón blanco que me hizo recordar a una chica que mis compañeros del Don Bosco llamaban Avispa, y pensé en los políticos que no estaban a mi altura, o era yo el que no estaba a su altura. Le pregunté si se llamaba Alexia, y me dijo que sí rociando un poco de perfume en mi mano izquierda, me dijo que sí mirándome como si no me conociera, como si me estuviera mirando por primera vez, hacía mucho que yo había entrado en el pozo oscuro de Alexia como ella había entrado en el mío a pesar de la foto y el recuerdo y el esfuerzo de reconocimiento. A pesar de ciertas similitudes –el cristal verde de los aretes, el encaje del rostro– esta Alexia podía no ser *esa* Alexia. O, peor, o acaso era lo mismo, esta Alexia podía ser *esa* Alexia y yo podía haberme vuelto a encontrar con ella y no haber sabido que se trataba de ella, podíamos haber hecho el amor en una noche que yo hubiera creído olvidable y jamás hubiera sabido que ella era el inolvidable recuerdo de una noche que creí olvidable. Jamás lo sabría, Alexia no me daría una nueva oportunidad porque yo no era su esposo ni era político.

Le pregunté por el precio del perfume.

–Treinta y nueve dólares con noventa centavos –respondió.

Saqué mi tarjeta de crédito –ahora aceptan tarjetas en los moteles, en ese entonces no, aunque yo no tenía tarjeta aquellos días, ni siquiera tenía plata, ella debió haber pagado– y se la entregué. Pensé que, después de tantos años de usar Fahrenheit, era hora de cambiar de perfume.

Desencuentro

La madrugada del 26 de abril de 1968, en un destartalado pero eficaz Ford rojo, Wendell salió de Cochabamba con destino a La Paz, a unos quinientos kilómetros de distancia. Iba a casarse.

Al mediodía, bajo una tolerable llovizna, vio el cartel que indicaba el kilómetro 476. "Veinte minutos más", pensó, "tengo hambre". En el siguiente cartel, en refulgente amarillo, vio el número 477. Luego vio el 346. "Una equivocación", pensó. Luego sucesivamente, vio los números 1 048, 27, 5, 216, 728, 183, 8 751. Se detuvo. "Una estúpida broma", pensó. "Una estúpida broma". Nervioso, reanudó el camino. Dos horas después, al lado de un cartel con el número 91, volvió a detenerse. Durante la tarde esperaría inútilmente en esa desolada, fría región, algún auto, alguna persona, algo. Al anochecer prosiguió la marcha.

El 30 de abril fue denunciada en una de las comisarías de La Paz la desaparición de Wendell. La búsqueda se inició. Veinte años después, sin haber encontrado pista alguna, la policía declaró cerrado el caso. El 1° mayo de 1988, Lena Tejada, fiel aún pero ya hastiada, colocó un aviso en *Presencia* ofreciendo en venta, sin estrenar, con un leve olor a naftalina, un recatado vestido de novia con el ajuar completo. Pensó: "Todos los hombres son iguales".

Esperando a Verónica

Carlos está sentado en una silla de mimbre en la puerta de su casa, al borde del camino de tierra. Es madrugada, los ojos recorren el horizonte, esperan.

Al mediodía, Alex, su hermano, se aproxima a él.

–No vendrá –dice–. Conozco a las mujeres.

–A ella no la conoces –dice Carlos sin voltear la mirada–. Sé que vendrá. Me dijo que lo haría.

–¿Hasta cuándo piensas esperarla?

–No tengo apuro. Si tiene que ser toda la vida, será toda la vida.

–Entonces morirás ahí, sentado como un imbécil –dice Alex, entrando a la casa.

A las dos de la tarde, el cielo comienza a adquirir una tonalidad de plomo. A las cuatro, una silente llovizna cae sobre Cochabamba. A las seis, la llovizna se ha convertido en tormenta. A las seis y cuarto, Carlos entra a la casa arrastrando la silla de mimbre: la ropa le pesa, siente el agua arrastrarse por todas partes de su cuerpo.

"Al menos lo intenté", piensa mientras se desnuda.

En Durant y Telegraph

En la esquina de Durant y Telegraph un hombre viejo con tatuajes en los brazos leía la suerte sobre una mesa cubierta por un mantel púrpura. En busca de descanso de horas de discusión con vendedores ambulantes, mendigos y nuevos *hippies*, me senté frente a él.

–¿Cuánto? –pregunté de manera desganada.

–A partir de cinco lo que usted quiera, señorita.

Dejé un billete de cinco dólares sobre el mantel y el hombre siguió barajando sin inmutarse. Observé con curiosidad que tenía anillos en todos los dedos de la mano derecha. Entre dientes, me preguntó si quería las cartas del Tarot o las de la baraja común. Le dije que daba lo mismo: no me interesaba lo que las cartas decían de mi futuro; lo que quería era la experiencia, poder decir algún día que me habían leído el futuro: era una triste turista en busca de una historia de quince minutos para los nietos que sin duda llegarían.

El hombre eligió usar la baraja común. Después de algunos movimientos de prestidigitación, me pidió que extrajera cuatro cartas del mazo. Lo hice: un siete de corazones, un tres de diamantes, un as de pique, un rey de corazones. Él miró las cartas elegidas con asombro y pavor, como si se hallara al borde de un precipicio y por perversa curiosidad decidiera enfrentar sus ojos con lo que se encontraba bajo sus pies. Después de una larga pausa, y cuando los ruidos insistentes de Telegraph amenazaban con retornarme al territorio que existía más allá de esta mesa de mantel púrpura, dijo, con voz grave:

–Usted morirá.

–Eso ya lo sé. ¿Cuándo?

–No lo sé. Sólo sé que usted morirá. Puede ser hoy, puede ser dentro de treinta años. No le pida a las cartas más de lo que pueden darle: la esencia es lo que cuenta, no las burdas circunstancias.

¿Me encontraba con un descarado estafador o con la versión californiana de Lao-Tsé? ¿Acababa de oír un insulso cliché, o una frase reveladora que destrozaba abrojos y se incrustaba en el centro de la cuestión del ser? No podía decidir. Su rostro, que oscilaba entre la seriedad y la burla, no hizo más que profundizar la ambigüedad. Me incorporé y, mientras la gente pasaba a mi lado sin preocuparse por nosotros, le dije lo único que en ese momento se me ocurrió:

–Usted... ¡usted también morirá!

Impasible, él continuó barajando.

Cuando regresé al hotel, después de una ducha y ya más tranquila, pedí a recepción que me consiguieran un mazo de cartas comunes. Al rato apareció en la puerta un botones; me dio el mazo, le di una propina y se marchó.

Me recosté en la cama, barajé el mazo repetidas veces, hice algunos movimientos prestidigitatorios con él, y luego tiré cuatro cartas sobre la colcha. Nerviosa, comprobé que se trataban del dos de diamantes, el nueve de pique, el cuatro de trébol y el seis de pique. Intenté algunas veces más. Las cartas que salían eran siempre diferentes, pero lo cierto es que no mentían: yo moriría.

Imágenes del incendio

El incendio comenzó por la madrugada y se propagó con una furia incontenible por los pastizales resecos que había dejado un verano sin lluvia por las colinas de Barranco; a las diez de la mañana se ordenó la evacuación de todo ese sector residencial de clase media-alta. Al mediodía, ante el esfuerzo casi inútil de bomberos no preparados para contener un fuego de semejante magnitud, comenzaron a arder las primeras casas que por décadas y décadas se habían erguido, ostentosas y sin humildad alguna, en barrios, con la ciudad a sus pies por un lado, y por el otro el mar.

Era un espectáculo fascinante. Mi hermano y yo lo mirábamos por CNN, que desde la madrugada transmitía todos los pormenores en vivo. Hermosas escenas de perros y gatos atrapados por el fuego, entrevistas a desesperados burgueses llorando las fotos de familia incineradas y el desaparecido hogar construido a base de "tanto sacrificio", tomas dramáticas de bomberos intoxicados y de reporteros arriesgando la vida en aras de servir a la población, interrumpidas sólo por los comerciales: la regocijada señal de que ni siquiera las catástrofes detenían la marcha incesante del comercio.

Mi hermano había encendido el televisor temprano y había buscado CNN sin dilaciones: era un adicto a las noticias. Siempre afirmaba que las crueles y a la vez inofensivas imágenes de la realidad en CNN eran su telenovela, una telenovela mejor que cualquier otra. "Doscientos muertos en un terremoto en India: detalles en ocho minutos. ¿Quién asesinó a esta madre soltera? Descúbralo a las siete."

Yo salía de la casa cuando, desde una cámara en un helicóptero, me atrapó la panorámica imagen de Barranco rodeado por el mar y el avance del fuego. Una imagen hipnótica que conmovía también al reportero describiendo la escena con gastados superlativos que, gracias a una voz quebrada por la emoción, aparecían dignos, recubiertos de originalidad. Me senté al lado de mi hermano. No había nadie más en la casa. Mis padres y Eugenia ya se habían ido.

Después de un buen rato, recordé lo que sucedía y me quise ir. Se lo dije a mi hermano, pero no me escuchó, absorto como estaba en la casi mística contemplación de las imágenes. Me levanté, y entonces vi la toma de la hermosa casa blanca al borde del acantilado, y el fondo azul y celeste del mar y el cielo divididos por la raya del horizonte; un rápido corte, y entonces vi las llamas dando fin con el pasto y los árboles del elegante jardín de mi casa. Me volví a sentar.

El periodista informó que se creía que todos los habitantes de la casa ya la habían evacuado. Yo sabía que estaba equivocado.

La puerta cerrada

A León

Acabamos de enterrar a papá. Fue una ceremonia majestuosa; bajo un cielo azul salpicado de hilos de plata, en la calurosa tarde de este verano agobiador, el cura ofició una misa conmovedora frente al lujoso ataúd de caoba y, mientras nos refrescaba a todos con agua bendita, nos convenció una vez más de que la verdadera vida recién comienza después de esta. Personalidades del lugar dejaron guirnaldas de flores frescas a los pies del ataúd y, secándose el rostro con pañuelos perfumados, pronunciaron aburridores discursos, destacando lo bueno y desprendido que había sido papá con los vecinos, el ejemplo de amor y abnegación que había sido para su esposa y sus hijos, las incontables cosas que había hecho por el desarrollo del pueblo. Una banda tocó "La media vuelta", el bolero favorito de papá. *Te vas porque yo quiero que te vayas, a la hora que yo quiera te detengo, yo sé que mi cariño te hace falta, porque quieras o no yo soy tu dueño.* Mamá lloraba, los hermanos de papá lloraban. Sólo mi hermana no lloraba. Tenía un jazmín en la mano y lo olía con aire ausente. Con su vestido negro de una pieza y la larga cabellera castaña recogida en un moño, era la sobriedad encarnada.

Pero ayer por la mañana María tenía un aspecto muy diferente. Yo la vi, por la puerta entreabierta de su cuarto, empuñar el cuchillo para destazar cerdos con la mano que ahora oprime un jazmín, e incrustarlo con saña en el estómago de papá, una y otra vez, hasta que sus entrañas comenzaron a salírsele y él se desplomó al suelo. Luego, María dio unos pasos como sonámbula, se dirigió a tientas a la cama, se echó en ella y, todavía con el cuchillo en la mano, lloró como lo hacen los niños, con tanta angustia y desesperación que uno cree que acaban de ver un fantasma. Esa fue la única vez que la he visto llorar. Me acerqué a ella, la consolé diciéndole que no se preocupara, que yo estaría allí para protegerla. Le quité el cuchillo y fui a tirarlo al río.

María mató a papá porque él jamás respetó la puerta cerrada. El ingresaba al cuarto de ella cuando mamá iba al mercado por la mañana, o a veces, en las tardes, cuando mamá iba a visitar unas amigas, o en las noches, después de asegurarse de que mamá estaba profundamente dormida. Desde mi cuarto, yo los oía. Oía que ella le decía que la puerta de su cuarto estaba cerrada para él, que le pesaría si él continuaba sin respetar esa decisión. Así sucedió lo que sucedió. María, poco a poco, se fue armando de valor, hasta que, un día, el cuchillo para destazar cerdos se convirtió en la única opción.

Este es un pueblo chico, y aquí todo, tarde o temprano, se sabe. Quizás todos, en el cementerio, ya sabían lo que yo sé pero, por esas formas extrañas pero obligadas que tenemos de comportarnos en sociedad, debían actuar como si no lo supieran. Quizás mamá, mientras lloraba, se sentía al fin liberada de un peso enorme, y los personajes importantes, mientras elogiaban al hombre que fue mi padre, se sentían aliviados de tenerlo al fin a un metro bajo tierra, y el cura, mientras prometía el Cielo, pensaba en el Infierno para esa frágil carne en el ataúd de caoba.

Quizás todos los habitantes del pueblo sepan lo que yo sé, o más, o menos. Quizás. Pero no podré saberlo con seguridad mientras no hablen. Y lo más probable es que lo hagan sólo después de que a algún borracho se le ocurra abrir la boca. Alguien será el primero en hablar, pero ese no seré yo, porque no quiero revelar lo que sé. No quiero que María, de regreso a casa con mamá y conmigo, mordiendo el jazmín y con la frente húmeda por el calor de este verano que no nos da sosiego, decida, como lo hizo antes con papá, cerrarme la puerta de su cuarto.

La frontera

A la entrada de la mina La Frontera, que creía abandonada, se hallan dos hombres. Tienen el rostro terroso, apariencia de mineros en la vestimenta desastrada, y pancartas en alto condenando el cierre de minas decretado por Paz Estenssoro. La escena me parece curiosa; detengo el Jeep, me bajo y me acerco a ellos. Hace años que no venía por este camino abandonado, hace años que no visitaba la finca de Sergio. Bien puede esperar unos minutos, me digo, y perdonar al periodista que siempre hay en mí.

De cerca, confirmo que son mineros. Los rayos del sol refulgen en todas partes menos en sus cascos, tan viejos y oxidados que carecen de fuerzas para reflejar cualquier cosa. Los mineros no mueven un músculo cuando me acerco a ellos, no pestañean, miran a través de mí. Sus pies de abarcas destrozadas se hallan encima de huesos blanquinegros. Descubro que yo también estoy posando mis pies sobre huesos: de todos los tamaños y formas, algunos sólidos y otros muy frágiles, pulverizándose al roce de mis zapatos. En mi corazón se instala algo parecido al pavor.

Las minas fueron cerradas hace más de siete años. Muchos mineros entraron en huelga, pero al final terminaron aceptando lo inevitable y marcharon hacia su forzosa relocalización, a las ciudades o a cosechar coca al Chapare. ¿Podía ser, me pregunto, que la noticia del fin de la huelga no hubiera llegado hasta ahora a los mineros de esta mina? La región de Sergio progresó con la inauguración del camino asfaltado, y aquí quedaron, abandonados, esta mina y el camino viejo.

Les pregunto qué están protestando.

Silencio.

Después de un par de minutos insisto, esta vez tartamudeando, acaso dirigiendo la pregunta más a mí mismo que a ellos. Y entonces veo un leve movimiento en la boca de uno de ellos. Un par de músculos faciales se estiran, quiere decirme algo.

Pero el esfuerzo es demasiado. Boquiabierto, veo el quebrarse de la reseca piel de las mejillas y el pesado caer de la pancarta; luego, el rostro se contrae sobre sí mismo y la carne se torna polvo y se derrumba y del minero no queda más que un montón de huesos blancos y secos.

Pienso que es hora de no hacer más preguntas, de reemprender mi camino, de aparentar, una vez más, no haber visto nada.

El acantilado

A las cinco de la mañana el padre despertó al hijo y le dijo que se vistiera, había llegado la hora. Con los ojos soñolientos y la voz entrecortada, el niño vio ese rostro barbado, esa mirada azul y penetrante, y le dijo que no quería ir. Había hablado con su madre la noche anterior, y ella le había dicho que no tenía que hacerle caso en todo a él; le había dicho incluso que si él no quería no tenía que quedarse con su padre los fines de semana.

El padre le agarró el brazo con firmeza y le dijo: ¿Y qué es eso de no querer quedarte conmigo? Tu madre no sólo se va con ese imbécil, ahora te mete ideas para que no te vea más. Vístete.

El niño se levantó y, mientras se sacaba el pijama y se ponía los *jeans* y las zapatillas de tenis, se preguntó qué había sido primero. Si su madre había dejado a su padre cuando él comenzó a hablar de platillos voladores, o si el padre había comenzado a hablar de platillos voladores una vez que la madre lo dejó. Cuando ella se fue de la casa, él dijo que la ciudad era muy chica para los dos y dejó su trabajo y vendió la casa y compró una cabaña a tres horas de la ciudad, a quinientos metros del acantilado. Había vistas espectaculares del mar, pero la región era desolada y el niño odiaba los fines de semana en que era el turno de estar con su padre; no había televisión en esa cabaña, ni computadora ni videojuegos. Sólo podía leer y jugar juegos de mesa, cosas que no le llamaban la atención.

Salieron de la cabaña. El padre, alto, fornido y con un sombrero de *cowboy*, agarraba al niño del brazo; el niño tenía una chaqueta de cuero, sentía la brisa fría, la piel se le erizaba. En su cabeza rondaban las historias que su padre le había contado desde niño, las sirenas y los dragones que habitaban el mar. Eran tiempos legendarios los de los relatos del padre pero, ¿quién podía asegurar que en las profundidades del mar no existían esos peligros? En las últimas semanas, para colmo, el padre se había puesto a hablar de una espera al borde del acantilado, de una luz que los iluminaría y unos extraterrestres que les transmitirían el secreto del universo. Serían otros después de ese encuentro.

El niño no creía en esas historias pero, ¿qué le quedaba? No había manera de oponerse a su padre. Fingiría que le hacía caso, mientras, en silencio, rezaba y contaba los minutos para que pasara ese momento. Cuando volviera a la ciudad, le diría a su madre que no quería volver a pasar los fines de semana con su padre.

Llegaron al borde del acantilado. Era un espectáculo imponente, el verde turquesa del océano conjuntado en el horizonte con ese azul profundo del cielo, mientras las nubes se abrían como expectantes. Quizás era verdad lo que decía su padre, pensó por un segundo para luego descartarlo.

El niño miró hacia abajo y lo visitó una sensación de vértigo. Sería mejor levantar la vista, o cerrar los ojos.

El padre dijo: Eres lo más hermoso que tengo en la vida, hijo. Te extraño mucho cuando no estás conmigo.

Yo también te extraño, dijo el niño, pero en sus palabras no había convicción.

Y también eres lo más hermoso que tu madre tiene en la vida, continuó el padre.

Ya lo sé, dijo el niño.

Vio a su madre esperándolo al salir del colegio, apoyada en la puerta de la camioneta, los brazos cruzados prestos a abrirse apenas fuera a su encuentro. Entonces comprendió. Intentó soltarse de su padre, quiso darse la vuelta y correr, pero no pudo.

Faulkner

Después de leer los letreros que anunciaban la cercanía de Natchez Trace, Jorge le dijo a su padre que se hallaban a punto de entrar en reserva y que lo más conveniente era llenar el tanque. Su padre asintió. Mientras me encuentre en este país, dijo, tú decides. Jorge lo miró por un instante y supo que no había caso, que a pesar de todas sus esperanzas él jamás cambiaría. Apenas vio una gasolinera, disminuyó la velocidad.

Una vez apagado el motor del Chevrolet Cavalier rojo, Jorge le preguntó a su padre si quería algo. Un paquete de Marlboro. Bajó del auto, llenó el tanque y entró a la tienda. Se acercó a la cajera, una obesa mujer que poseía, como única y suficiente belleza exterior, un par de ojos verdes de conmovedora, intensa dulzura.

–*Would that be all?* –preguntó ella. Jorge pidió un paquete de Marlboro. Luego pagó.

–*Have a nice day.*

–*You too* –respondió saliendo de la tienda y retornando al Chevrolet. Hacía calor, la humedad adhería la camisa a su cuerpo, las nubes se habían ido disipando a medida que avanzaba la mañana. Gracias, dijo su padre, y encendió un cigarrillo. Jorge reanudó la marcha.

–Allá vamos, Willy –dijo.

Jorge obtenía en cuatro días el BA en periodismo y su padre había venido desde Bolivia para asistir a la ceremonia. Con lo poco por ver ya visto en Huntsville, la ciudad donde se hallaba su universidad, Jorge había propuesto viajar a Oxford, Mississippi, a conocer la ciudad de William Faulkner. Eran sólo cuatro horas de viaje. Su padre había aceptado. Jorge se había emocionado mucho con la idea, tanto que la tensa felicidad del reencuentro con su padre y de la cercana graduación habían pasado por un momento a segundo plano: siempre había querido visitar la ciudad (y siempre algo se lo había impedido) del escritor que más admiraba, del hombre cuyo ejemplo lo incitaba a consumirse en noches y madrugadas escribiendo y a soñar con tornarse escritor algún día. Pero ahora, en la Natchez Trace, rodeado de bosques de pinos y cada vez más cerca de Oxford, Faulkner se había escondido en algún recodo de su mente y sus pensamientos y sensaciones merodeaban en torno a su padre.

Repitiendo un gesto de adolescencia, lo miró de reojo. ¿Es que siempre lo tenía que mirar de reojo? Por un tiempo, después de recibir su llamado tres semanas atrás comunicándole que asistiría a su graduación, Jorge había pensado en la posibilidad de una reconciliación. Tiene que haber cambiado, se decía, después de todo, está viniendo. Hizo planes que incluían largas charlas en algún bar, al calor de buen *jazz* y cerveza de barril. Le contaría de sus planes y le preguntaría acerca de su vida: ¿Cómo había sido su infancia? ¿Había participado en la revolución del 52? ¿Cómo había vivido su primer amor? ¿Y qué de sus años de exilio en Buenos Aires? ¿Todavía amaba a su madre? Eran tantas las cosas que podía preguntarle que se sintió avergonzado de saber tan poco de él: sí, había sido un imbécil incapaz del primer paso. Recordó la tarde en que había golpeado a la puerta cerrada de su despacho, y una voz quebrada le preguntó qué quería, y él dijo que si le podía dar algunos pesos para el cine, y la voz respondió que sí, por supuesto que sí, y cuando se abrió la puerta Jorge vio un rostro de inconsolable tristeza, pero al rato sintió las monedas en su mano y se despidió. Nunca más, hasta ahora, había vuelto a recordar aquel rostro.

La desolación era excesiva en Natchez Trace: uno que otro auto de rato en rato, una que otra ardilla. A los bordes del camino, en extraña y fascinante combinación, árboles secos color polvo, dignos del otoño, alternaban con el esplendor primaveral de árboles pródigos en verde. Jorge se hallaba cansado de manejar. Volvió a mirar a su padre que, en silencio, fumaba y contemplaba el paisaje. Pensó que si de algo estaba seguro era de no haber sido él el culpable del distanciamiento. Recordó el encuentro en el aeropuerto, el abrazo frugal, las escasas palabras; recordó los dos días siguientes hasta el día de hoy, el retorno de esa sensación de la inminencia de una comunicación que siempre tenía cuando se encontraba con su padre: comunicación que muy pocas veces se realizaba: en general, la elusividad los regía, las palabras no eran pronunciadas, los sentimientos no eran expresados. Él no lo hacía porque esperaba que su padre tomara la iniciativa. Y su padre, ¿por qué no lo hacía? Al venir hasta acá, ¿no lo había hecho? Esa había sido la primera conclusión, pero ahora Jorge no podía menos que pensar que su padre había decidido asistir a la graduación porque quizás se sentía obligado a estar presente en ella.

Y aquí estaban, pensó Jorge, alejados del país y sin intercambiar entre ellos nada más que lo necesario, acaso contando los minutos para que la ceremonia de graduación concluyera y ambos pudieran retomar sus vidas. Pensó increparlo, preguntarle qué cuernos le sucedía, si pensaba quedarse callado hasta el día de su entierro. Pero no, sabía que no lo haría: era incapaz de esos desbordes temperamentales. En ese instante, una idea lo estremeció: al reprimirse, ¿no ponía en movimiento una cualidad heredada de su padre? ¿No se parecía a él más de lo que se hallaba dispuesto a aceptar? ¿No se hallaban unidos por medio de una compleja relación especular? Jorge se imaginó a sí mismo dentro de veinte años, sentado en silencio y fumando al lado de su hijo, mientras este manejaba un Chevrolet Cavalier rojo en dirección a Oxford.

–Hace años que no leo a Faulkner –dijo su padre–. Tengo muy buenos recuerdos de él. Un tiempo fue mi gran pasión.

–¿De veras? –dijo Jorge. Un Mazda los sobrepasó a

gran velocidad; pudo distinguir que una mujer lo conducía.

–Fue en mis días de exiliado, cuando vivía en una pensión de quinta. Tú tuviste suerte. Yo no tenía un centavo para extras y mi compañero de cuarto era un cordobés que se la pasaba leyendo. Yo leía sus libros. Recuerdo un montón de novelas de Perry Mason y otro tanto de Faulkner, qué combinación. Perry Mason me gustaba mucho: lo leía y punto, todo se acababa ahí. Faulkner era otra cosa, difícil de entender, pero magnífico, magnífico. Y, ¿lo creerías?, hay frases e imágenes que jamás pude olvidar. Recuerdo, sobre todo, un personaje: Bayard Sartoris. Nunca olvidaré su melancolía, sus alocados viajes en auto, en caballo, en aeroplano... También recuerdo a Temple Drake, así creo que se llamaba, ¿no? Y el cuento de la mujer que dormía con el cadáver de su novio. Y ese otro, el del establo que se incendió y el chiquillo que no sabía si ser fiel a su padre, al llamado de la sangre de la familia, o a sí mismo.

Hizo una pausa.

–Oh, sí, Faulkner, el gran Faulkner –continuó–. ¿Sabías que por unos días quise ser escritor? Sí, estoy hablando en serio, el prosaico ingeniero que tú ves aquí quiso un día ser escritor... Pero claro, lo único que hacía era remedar torpemente a Faulkner. Después de unos meses de hacer el ridículo, renuncié. Y, lo que es la vida, al año el cordobés se fue y nunca más volví a leer a Faulkner. Pensé hacerlo varias veces, pero nunca lo hice. Y ya ves, treinta años pasaron como si nada y jamás lo hice.

Jorge quiso decir algo. No supo qué.

–Tu pasión por Faulkner me hizo recordar mucho esos días –continuó su padre, que hablaba sin dejar de mirar hacia el horizonte–. Nunca me mostraste tus escritos, pero confío en que tú no renunciarás. Confío en que lo tuyo no es pasajero y en que escribirás las cosas que yo no pude escribir. Y volverás a decir a todos, porque es necesario volverlo a decir de tiempo en tiempo, que entre el dolor y la nada es necesario elegir el dolor. Que amor y dolor son una misma cosa y quien paga barato por el amor se está engañando. Que no hay mejor cosa que estar vivos, aunque sea por el poco tiempo en que se nos ha prestado el aliento.

Jorge se desvió del camino y apagó el motor.

–Papá... –dijo–. ¿Me puedes mirar?

El padre, lentamente, giró el cuello y enfrentó sus ojos a los de Jorge.

–Nuestra relación no ha sido precisamente ejemplar, ¿no?

–No tenía por qué haberlo sido. ¿Conoces alguna?

–Pero podía haber sido mejor.

–Podía.

–¿Ya es tarde?

–Hay cosas de las que es mejor no hablar.

–Te quiero mucho, papá. Muchísimo.

–Ya lo sé –dijo el padre, y le tomó el hombro derecho con la mano izquierda. Fue una caricia suave, fugaz–. Ahora vuelve a manejar.

–Me gustaría charlar un rato.

–Podemos charlar mientras manejas.

Jorge hizo una mueca de disgusto, encendió el motor y reanudó la marcha.

El disgusto, sin embargo, no duró mucho. Al rato, pensó que las cosas se habían dado de esa manera y que de nada valía lamentarse por lo no sucedido. No valía la pena amargarse por todas las palabras no pronunciadas y todos los sentimientos no expresados. Más bien, todo ello le daba más fuerza y significado a los escasos encuentros que se daban entre ellos. Habrá más Faulkners, se dijo. Es cuestión de excavar.

Enfrentando con la mirada la excesiva, intimidatoria belleza que los cercaba, Jorge dijo en voz alta que el día era muy hermoso.

–Sí –dijo su padre–. Muy hermoso.

Y Jorge esbozó una sonrisa ambigua, acaso sincera, acaso irónica.

Billie Ruth

Conocí a Billie Ruth el último año de mi estadía en Huntsville. Era sábado, había ido a una fiesta del grupo de animadoras de la universidad. Toda la noche intenté que una de ellas me hiciera caso, pero era en vano, sólo tenían ojos para los del equipo de hockey. No me había fijado en Billie Ruth, pero coincidimos en una habitación al final de la noche: los dos buscábamos nuestras chamarras. La mía era de cuero negro, muy delgada, y vi que ella se la ponía.

–Disculpas. Creo que esa es la mía.

–Lo siento –se la sacó de inmediato–. Es mejor que la mía. ¿De qué sirve venir a las fiestas si uno se va con la misma ropa con la que ha llegado?

No sonrió, así que no supe si hablaba en serio. Pude ver su rostro muy maquillado, sus grandes ojos azules, unas pestañas tan inmensas que imaginé postizas. Su belleza era natural y sobrevivía a todos los añadidos artificiales.

–No encuentro la mía –dijo al rato–. Seguro alguien se la llevó. Me ganaron de mano.

–Si quieres llévate la mía. Y me la devuelves cualquier día de la próxima semana.

–¿En serio? ¡Qué caballero! Y con ese acento, no debes ser de aquí, ¿no?

–Bolivia.

–¿Libia? Queda lejos de aquí.

–Bolivia, en Sudamérica.

–Da lo mismo. ¿Y dónde te la devuelvo?

–Trabajo todas las tardes en la biblioteca.

–Gracias. Billie Ruth, por si acaso.

–Y yo Diego.

–Como el Zorro. ¡Increíble!

Billie Ruth me esperaba a la salida de la biblioteca una semana después, cuando yo ya me había resignado a dar por perdida mi chamarra.

–Por suerte apareció también la mía. Se la había llevado Artie. Es hecho el bromista, pero en realidad es un pesado. Es un canadiense que juega en el equipo de hockey. Salí con él un tiempo y no se resigna a que todo haya acabado. No lo culpo, yo tampoco podría vivir sin mí. ¡Es una broma! Cuidado pienses que me creo mucho. Bueno, sí, pero no es para tanto.

A cambio de todas mis preocupaciones, me invitaba a comer a su *sorority*. Alfa Sigma Omega, algo por el estilo. Acepté: siempre había querido conocer por dentro una de esas casonas en la que vivían alrededor de treinta mujeres jóvenes. Subí al auto de Billie Ruth, un Camaro azul oloroso a hamburguesa y lleno de ropas y libros de texto. Un sostén morado llamó mi atención antes de que ella lo notara y escondiera detrás de su mochila.

La *sorority* era una típica mansión sureña, con un porche amplio con una mecedora, paredes altas de madera por donde trepaba una enredadera y muebles antiguos y pesados del tiempo de la guerra civil. El ambiente señorial contrastaba con las fotos de las estudiantes en las paredes, despreocupadas en *shorts* y sandalias. Billie Ruth me hizo pasar a un salón comedor. Me presentó a las chicas que iban y venían con platos y vasos de cerveza en la mano. Antes de comenzar la cena, la presidenta de la *sorority* dio las gracias a Dios por los alimentos del día. Todos adoptamos una actitud recogida, la cabeza inclinada y las manos entrelazadas. Apenas terminó, el ruido de las conversaciones se instaló en el salón.

Billie Ruth me preguntó cómo había llegado a Alabama, *of all places*. Le conté que me habían ofrecido una beca completa para jugar *soccer* por la universidad.

–Imposible rechazarla –me llevé a la boca un pedazo de pan de maíz–. Me pagan casa y comida, me dan un cheque para comprar mis libros. Incluso me consiguieron un trabajo de medio tiempo en la biblioteca.

–Yo no me sacaría jamás ni una beca por mis notas, y mucho menos una por deportes. Puedo jugar al *ping-pong* y videojuegos, pero nada más.

Estudiaba psicología y se aburría mucho.

–Es la carrera equivocada para mí, pensé que me ayudaría a entender a la gente y no entiendo ni a mi perro. ¿Y tú?

–No conozco a tu perro.

–Bromista el muchacho. Eres de los míos.

–Ciencias políticas –le respondí sonriendo, aunque en Huntsville me sentía fuera de mi elemento. No soportaba la mirada provinciana de las relaciones internacionales, las ganas que tenían mis compañeros de mandar tropas a Francia y *kick some butt* cada vez que el gobierno francés mostraba su desacuerdo con la política exterior norteamericana. Quería continuar mis estudios en una universidad grande, quizá Berkeley o Columbia.

–A mí también me encantaría irme a vivir a California. Sería alucinante conocer la mansión de Playboy. ¿Tú crees que Hugh Hefner se fijaría en mí?

–No le preguntes eso todavía –terció una de nuestras compañeras de mesa–. Te tiene que ver más de cerca.

–Todo a su tiempo –dijo Billie Ruth, y todas explotaron de risa.

Al salir de la *sorority*, paramos en un Seven Eleven y ella volvió con un *six-pack* de Budweiser y *beef jerky*, unas tiras de carne seca que yo había visto comer a camioneros. Me dije que sólo le faltaba tabaco en polvo. Nos detuvimos en una licorería y compramos un par de botellas de vino tinto. Hacía el calor húmedo, pegajoso, de una noche de septiembre en Alabama; el otoño había llegado, pero el verano se resistía a irse.

Nos dirigimos a las residencias universitarias. Yo vivía con tres compañeros del equipo de fútbol y uno del equipo de hockey; Tom, el que jugaba hockey, compartía la habitación conmigo. No estaba esa noche, tenía toda la habitación para mí; me hubiera gustado que estuviera, para vengarme: más de una noche me habían despertado sus gemidos junto a los de la mujer de turno que había conocido en la discoteca, le gustaban las gordas y las feas, si era posible ambas cosas al mismo tiempo.

Billie Ruth terminó sus latas de cerveza y luego pasó al vino. Se servía una copa y la terminaba de un golpe. Me decía que me apurara. Era imposible seguir su ritmo, pero hice lo que pude: no podía negarme a esa mirada azul, franca e ingenua.

–Soy virgen, soy virgen –gritaba ella mientras cogíamos. Se reía de todo; creo que eso fue lo que me atrapó al principio. La contemplé cuando dormía: la luz de la luna que ingresaba por la ventana abierta de la habitación iluminaba su piel lechosa, la dotaba de un aura fantasmal, materia a la medida de mis sueños. Eso también me atrapó.

Vencidos por el cansancio y el alcohol, nos dormimos en mi cama. Estábamos desnudos, habíamos apilado nuestras ropas en el piso, entremezclando mis *jeans* con su falda rosada.

A las dos de la mañana, Billie Ruth me despertó con un golpe en el hombro. Iba a decirme algo, pero una arcada la venció y el cobertor de tocuyo que había traído desde Bolivia recibió el impacto. La acompañé al baño; el ruido despertó a Kimi, el finlandés que vivía en el apartamento y con el que alguna vez había peleado un puesto en el mediocampo (una lesión inclinó las cosas a su favor). Tuve tiempo de cubrir a Billie Ruth con una toalla. Kimi me ayudó a limpiar el piso herido por las salpicaduras.

Esa noche manejé su Camaro y la dejé en la puerta de su casa. Vivía cerca del arsenal Redstone. Mientras la veía entrar, me preguntaba qué había motivado al gobierno a elegir a Hunstville como una de las sedes centrales de la NASA, un lugar para que Von Braun y otros científicos alemanes desarrollaran sus investigaciones.

Hubo un sonido como el de un mueble que se desplomaba al piso. Quizás había sido Billie Ruth. Hubiera querido entrar a ayudarla pero al instante se encendieron todas las luces, escuché gritos y partí.

Comenzaron mis viajes por la temporada de fútbol. Estábamos en la segunda división de la Conferencia del Sur; el año de mi llegada, salimos quintos gracias en parte a que al entrenador ruso le fascinaban los jugadores extranjeros y había conseguido becas para trece, entre ingleses, árabes y latinos. Al segundo año llegó un entrenador chileno con el proyecto de hacer un equipo exclusivamente norteamericano, y la calidad de nuestro fútbol decayó con las becas. Ese tercer y último año para mí, quedábamos sólo cuatro extranjeros. Yo no jugaba mucho desde que a fines del primer año me rompiera los ligamentos de la rodilla derecha; me recuperé, pero nunca volví a mi nivel anterior. No importaba: el fútbol me estaba costeando los estudios, gracias a él me había independizado de mis papás en Bolivia.

Una de las cosas que más me gustaba de mi experiencia sureña eran los viajes con el equipo durante la temporada de fútbol, que duraba todo el semestre de otoño. Viajábamos a cerca de diez ciudades diferentes durante la temporada. Apoyaba mi rostro en la ventana y veía pasar los pueblos y las ciudades similares entre sí, los kilómetros de carreteras asfaltadas y señalizadas; a la entrada de cada ciudad parábamos en uno de esos restaurantes como Denny's, con un bufet con ensaladas y mucha pasta (nuestros entrenadores estaban obsesionados con el contenido energético del tallarín). Tomé tanta Coca-Cola en esos viajes que un día mi cuerpo la rechazó por completo; no fue para bien pues comencé a tomar algo más dulce: Dr. Pepper. Mi paladar iba adquiriendo otros gustos: la delicia del gumbo de Louisiana o del *catfish* de Alabama, por ejemplo. Mi oído tenía más problemas que mi paladar: había aprendido expresiones como *fixing to go* o *you all*, pero todavía me costaba entender a algunos de mis compañeros.

El primer viaje fue a Memphis. Me hubiera gustado hacer como los turistas, conocer la mansión de Elvis o ir a un bar a escuchar buena música *soul;* llegamos directamente al estadio de la universidad, perdimos dos a cero (ellos tenían muchos jugadores escandinavos) y admiré una vez más la riqueza de un país capaz de ofrecer becas para practicar un deporte que se jugaba con las tribunas vacías.

En Memphis extrañé a Billie Ruth y me preocupé. Jonathan, un rubio que venía de Atlanta, se sentó conmigo en el viaje de regreso. Conocía a Billie Ruth.

–Está loca. ¿Así que te gusta? Es linda, eso no lo vamos a discutir. Pero, si yo fuera tú, me cuidaría.

–De todas las mujeres hay que cuidarse.

–Más de Billie Ruth. Pregúntale a medio equipo de hockey. Mientras no la tomes en serio todo estará bien.

No me quiso decir más. Al rato me puse a leer un libro de Almond sobre teoría del conflicto, y con los auriculares de mi *walkman* (esos días había descubierto a REM) me olvidé de mis compañeros del bus, del partido perdido que había visto desde el banquillo, de la Memphis de Elvis que apenas había conocido. No me había tocado el sur de las tarjetas postales, tampoco el sur profundo que había descubierto en *Mientras agonizo* y *Luz de agosto*. Me consolaba pensando que las experiencias de un individuo jamás se parecían a las que se proyectaban en la literatura o el cine. Yo tenía mi propio sur; patético y todo, eso era lo que contaba.

El segundo viaje fue a Chattanooga, Tennessee; llegamos a conocer una fábrica de fuegos artificiales y la destilería Jack Daniel's. En esa destilería, mientras caminaba entre las barricas que servían para fermentar el alcohol, volvió a mí, con fuerza, la imagen de Billie Ruth en una de sus tantas explosiones de risa, carcajadas tan imparables que se convertían en lágrimas y terminaban haciéndole correr su rímel.

Nos reencontramos un jueves a las seis de la tarde. Me había citado en la puerta de una iglesia baptista. No me extrañó: había tantas iglesias en Alabama que las diferentes denominaciones debían competir para atraer a los feligreses.

En el jardín bien cuidado a la entrada de la congregación se podía ver un vistoso letrero de neón anunciando, como si se tratara de una estrella de rock, que ese jueves a las seis predicaría el reverendo Johnson. Billie Ruth se apellidaba Johnson.

Billie Ruth llevaba un vestido floreado y zapatos blancos con medias cortas con encajes. Parecía lista para enseñar la clase de Biblia del domingo. Me dio un efusivo beso en la mejilla; me senté junto a ella en un banco de las primeras filas; me presentó a su madre, una señora de pelo blanco que me dio la mano con modales de etiqueta y me hizo sentir con su mirada que era, pues, lo que era: un extranjero. Luego me presentó a su papá, ya con la toga blanca con la que oficiaría la misa; era alto y pude reconocer a Billie Ruth en su cara triangular y sus dientes grandes y perfectos. Me saludó moviendo apenas la cabeza, como si me hiciera un favor; luego se dio la vuelta y se dirigió a saludar a otros miembros de la congregación. Se me hizo la luz: yo era tan parte de la rebeldía de Billie Ruth como sus ganas de tomar hasta perder la conciencia o, si había de creerle a Jonathan, su comercio desaforado con los jugadores del equipo de hockey.

Ya había oscurecido al salir de la iglesia. Billie Ruth me acompañó al estacionamiento.

–¿A qué hora vienes por mi casa? –le pregunté, apoyado en mi Hyundai.

–Hoy no podré pasar. Es cumpleaños de Artie.
–Pensé que habían terminado mal.
–Yo también, pero me invitó. Estarán mis amigas.
Dijo que la llamara y se marchó. La vi alejarse en silencio.

Esos días me costó levantarme a las seis de la mañana para ir a entrenar al estadio. Cuando salía, dejaba la puerta abierta. A mi regreso, solía encontrar a Billie Ruth en mi cama; ella pasaba por mi apartamento antes de ir a sus clases, tomaba cereales en la cocina y luego se metía en mi cuarto. No le importaba que Tom estuviera durmiendo en la cama de al lado. Cuando iba al baño, a veces se ponía uno de mis *shorts* azules con el logo de los Chargers de la universidad; otras, estaba con un *babydoll* color salmón. Mis compañeros se acostumbraron a su desinhibida aparición en los pasillos del apartamento.

Fuimos a jugar a Oxford, Mississippi, y llegué a ver, desde la ventana del bus, la mansión donde vivía la familia que había servido de modelo a los Sutpen en algunas novelas de Faulkner, pero me quedé con las ganas de visitar la casa del escritor. En Oxford perdimos cuatro a uno, pero al menos jugué quince minutos.

Cuando volví a Huntsville me esperaba en el buzón un sobre papel manila. Lo abrí: cayeron sobre la mesa del escritorio varias fotos de Billie Ruth. En unas estaba con su *babydoll* color salmón, abrazada a dos animadoras con los ojos extraviados y una botella de vino en la mano; en otra, tirada sobre la cama con el cuerpo retorcido en una pose que habría copiado de alguna revista, se agarraba los senos con las manos y los ofrecía a la cámara; en otra, estaba desnuda, rodeada de dos chicos del equipo de hockey también desnudos. Supuse que uno de ellos era Artie.

Billie Ruth me llamó varias veces y no contesté el teléfono. Una de esas mañanas se apareció por mi departamento y me preguntó si la estaba evadiendo. Le dije que no había nada de qué hablar; había visto las fotos.

–Ah, eso –dijo con displicencia–. Pensé que estabas molesto por algo serio.

–¡Es que es algo serio! –grité.

–Era sólo un juego.

–Todo es un juego para ti, todo es broma.

Tardó en darse cuenta de lo herido que estaba. Me dijo que la llamara cuando se me pasara.

Ese fin de semana fui a jugar a Athens, Georgia. Una noche salí con Jonathan a buscar alguno de los bares donde quizás, por un golpe de suerte, podríamos encontrarnos con un integrante de REM. No hubo rastro de REM, pero en un bar conocimos a dos chicas de Atlanta y nos quedamos. La mía se llamaba Tina, era pelirroja y tenía una voz dulce; la de Jonathan se llamaba Julia y era flaca y poco agraciada. Se nos fue la mano con la cerveza y mientras bailábamos yo no podía dejar de pensar en Billie Ruth. La imaginaba junto a mí riéndose con estruendo de alguna broma que ella misma había contado, y luego la veía con el *babydoll* salmón en la fiesta del equipo de hockey, acariciando a Artie en la puerta del baño mientras sus amigas corrían por la sala regando de ponche a todos.

A las tres de la mañana Tina y Julia nos llevaron a su departamento. Estábamos por llegar cuando pedí que pararan el auto; me había indispuesto. Abría la puerta cuando una arcada me estremeció; usé mi sudadera para no manchar los asientos.

Me dejaron en el hotel. Jonathan llegó a las seis de la mañana con los calcetines en la mano; había terminado pasando la noche con Tina. Lo felicité.

El domingo siguiente fui al cine con Billie Ruth a ver una película con Kevin Costner. No cruzamos palabra hasta que terminó la proyección. Yo mantuve las manos en los bolsillos; hubiera querido tocarla, pero mi orgullo era más fuerte. Ella vio toda la película comiendo *beef jerky*.

Esa noche, en su Camaro en el estacionamiento de las residencias universitarias, Billie Ruth me dijo que había vuelto con Artie.

–Me alegro por ti.

–Las fotos… Artie me convenció de que tenía el cuerpo suficiente para salir en *Playboy*. Había leído que la revista pagaba bien si había fotos que le interesaban. Estaba en el cumpleaños y mis amigas me animaron a hacerlo. Tomé para armarme de valor.

–Entonces era cierto eso de que querías conocer la mansión de Hugh Hefner.

–Siempre hablo en serio. El problema es que nadie me toma en serio. Soy el payaso oficial de mis amigas, de todo el mundo.

–¿Qué más pasó en esa fiesta?

–¿Y a ti qué te importa?

Me lo dijo con brusquedad. Insistí.

–Qué. Más. Pasó. En. Esa. Fiesta.

–Por favor, sacame de aquí. Llevame a California contigo.

Se puso a llorar. Se echó en mi regazo y traté de calmarla.

Se quedó a dormir conmigo. Esa noche le pedí a Don que me dejara la habitación. Quería hacer el amor con rabia porque estaba seguro de que sería la última vez; a modo de venganza, la vería tan sólo como un cuerpo, le pediría sacarle fotos para luego mostrárselas a mis compañeros de equipo.

¿A quién intentaba engañar? Esa noche hubo más amor que sexo. Luego, cuando se fue, me escondí, desasosegado, bajo las sábanas de mi cama, y me preparé para aquel momento, cercano e inevitable, en que me encontraría con ella en una fiesta, y la vería, a la distancia, de la mano de Artie o de algún otro jugador del equipo de hockey, abriendo la boca inmensa como sólo ella sabía hacerlo al reírse de uno de sus propios chistes, mientras yo cavilaba la forma de acercarme a ella para recuperarla, no sé, quizás llevándome su chamarra del cuarto donde se amontonaban nuestras pertenencias.

Roby

Teníamos trece años ese verano y nada nos gustaba más que jugar fútbol en tapitas, correr en bicicleta por el barrio y dejarnos impresionar por nuestros mayores. Admirábamos a Gordo porque jugaba en las divisiones inferiores del Wilstermann, a Alfredo porque salía con chicas diferentes todo el tiempo y nos había enseñado que "hacerse la paja" no tenía nada que ver con una escoba, y sobre todo a Roby, porque era feroz a la hora de repartir puñetes y patadas. Tenía diecisiete años, pero no iba al colegio porque lo habían expulsado de tantos que al final sus papás decidieron que era mejor mandarlo a un internado en Santa Cruz; seis meses después, reapareció en su casa como si nada. Ese mismo día los papás se enteraron de que le había roto la mandíbula al director del internado. Poco después llegaron los rumores de que había matado a un taxista cerca de la plazuela de la Recoleta, y que sus padres habían comprado el silencio de la mujer del taxista con tres mil dólares.

A Roby se lo podía encontrar sentado en la verja al

lado de la puerta de su casa o apoyado en el tronco del molle en su acera, fumando; cuando nos acercábamos, bromeaba con nosotros, arrastrando las palabras entre sus dientes. Pero luego cambiaba de tono y se ponía serio. Nos decía que si queríamos que nos fuera bien en la vida debíamos aprender a pelear. Por qué, le pregunté una vez.

–Es una vida de perros, lo mejor es comportarse como los perros.

Había un tono insolente en la voz y en la mirada. Su melena negra le cubría las orejas y caía en desorden por la frente. Solía llevar una chamarra gastada de cuero y escupía al suelo con frecuencia. Doña Inés decía a quien la quisiera escuchar que su hijo era "su cruz". Ay ellos con los valores tan firmes, ay él con una infancia en la que no había faltado nada, cómo era posible que hubiera salido así. Sí, cómo era posible, me decía yo también. Apenas tres años atrás Roby había organizado un campeonato de carreras de Dinkys para los chicos del barrio. Los circuitos eran los patios de nuestras casas, los garajes, los bordes de las piscinas. Arturo, el hermano de Roby, resultó el ganador con un BMW anaranjado que era la envidia de todos. Roby le dio el premio –la mitad del dinero recaudado con las inscripciones– con un discurso burlón que nos hizo reír y Mauri nos dijo que hubiera querido tener un hermano como él. Las constantes peleas que vendrían luego no harían más que acrecentar esa popularidad.

Después de los rumores sobre el taxista, Arturo nos dijo que le tenía miedo a su hermano. Mauri, que lo había dejado de admirar: una cosa era alguien que sabía hacerse respetar con los puños y otra muy diferente un criminal. Yo me pasé varios días intentando entender cómo se sentiría clavar un cuchillo en la carne de otra persona.

La casa de Arturo nunca estaba cerrada con llave y los chicos del barrio podíamos entrar sin tocar el timbre. Eso hice un viernes por la tarde en que Arturo y Mauri estaban en el cine. Norma, la empleada, salió al jardín y me dijo que Arturo había salido. Le dije que iba a sacar la pelota de fútbol debajo de su cama.

Roby estaba echado en la cama de su habitación al lado de la de Arturo. Veía una película en la televisión, algo con muchos disparos. El humo de su cigarrillo flotaba por el cuarto. Las paredes empapeladas con fotos de mujeres de *Playboy*, rubias de senos excesivos que Arturo y yo habíamos estudiado con diligencia.

–¿Lo buscas al feto? No está.

Me quedé callado, inmóvil en el umbral. Me preguntó qué quería.

–¿Qué se siente?

–¿Qué se siente qué?

–Matar... a otra persona.

–Eran las tres de la mañana –dejó de mirarme–. Yo estaba con unos tragos de más.

–O sea que era cierto.

Le dio una pitada al cigarrillo, exhaló una bocanada de humo.

–Hice parar a un taxi. El indio de mierda se quiso pasar de vivo. Me quería cobrar el doble por traerme a la casa, decía que había que pasar un puente y además estaba lloviendo. Discutimos hasta que me cansé y pasó lo que pasó.

–¿Sufrió mucho?

–Qué sé yo.

–¿Lo… lo volverías a hacer?

–No es algo como para estar feliz.

–¿Y… puedes dormir en las noches?

–¡Qué pregunta! Seguro vas al Don Bosco. Curas de mierda, se dieron el lujo de expulsarme. La viuda debe estar feliz, ha dejado a mi viejo sin sus ahorros. Ese taxista de mierda no valía tanto.

Así terminó nuestra charla y comenzó nuestra amistad. Roby venía a buscarme e íbamos a pescar a un riachuelo a unas diez cuadras, por la avenida América, detrás de un cañaveral; me había dicho que no quería salir con Arturo y Mauri, hijitos de papá, de modo que me distancié de ellos. Después del colegio, y cuando mi madre ya había vuelto a la agencia de publicidad en la que trabajaba, a eso de las tres de la tarde, Roby aparecía en la puerta de mi casa. Lo veía por la ventana de mi cuarto en el segundo piso y bajaba de inmediato.

Varias veces me pregunté qué me veía para ser su amigo. Habría sentido en mis preguntas un intento por comprenderlo. O necesitaría de alguien menor que él, más inocente que él, capaz de impresionarse por lo que había hecho. Se había peleado con todos los chicos de su edad en el barrio, y si bien hubo un tiempo en que salía con un grupo que se juntaba en una de las salteñerías de El Prado, parecía haber decidido que le iba mejor sin la compañía de gente capaz de llevarle la contraria.

Roby asumió con naturalidad su rol de mentor. Con él aprendí a entrar a los cines y al estadio sin pagar, y a robar anticuchos en la esquina de la América y la Ballivián, de esas caseras cuyo rostro tiznado asomaba detrás del humo de la parrilla. Me enseñó a fumar; al principio tragaba el humo y me ardía la garganta. Una vez que aprendí, tener un cigarrillo en los labios se me hizo imprescindible. Compraba los más negros y baratos en la tienda del Coronel en la Recoleta, rebuscaba las carteras de mamá y hacía que desaparecieran sus cajetillas; llegué a fumar trece Astorias en un día y me sentí orgulloso, aunque debía andar con chicles en los bolsillos porque mamá se había quejado de mi aliento.

Roby me presionaba para que faltara a clases. Papá, que en ese entonces dormía en un cuartito en la casa de mis abuelos, me venía a recoger todas las mañanas para llevarme al colegio. Yo lo esperaba listo, mis libros y cuadernos en un maletín amarillo Samsonite. Me dejaba en la puerta del Don Bosco, y yo me despedía y hacía como que entraba y luego me daba la vuelta y corría hacia la plazuela Quintanilla, donde me esperaba Roby sentado sobre un tablero de ajedrez de mármol, los pies en uno de los bancos. Íbamos a salones de billar mal iluminados en el Prado, a chicherías cerca del puente de la Recoleta, de las que nos escapábamos sin pagar. No faltaban las peleas. Roby era siempre el provocador; lo alentaba desde un costado mientras se agarraba a golpes. Roby estaba prontuariado y se le había advertido que no se metiera en más líos. Eso me atraía en vez de preocuparme. Nada se comparaba a la sensación de peligro que yo corría con él.

Roby necesitaba plata todo el tiempo y me pedía que le comprara unos peces que traía a mi casa en bolsas de plástico. Me decía que eran guppys finísimos, pero yo los veía muy semejantes a los ordinarios suches de río que pescábamos juntos. No me animaba a discutirle, y con el dinero que ahorraba de mis recreos le compraba los peces a precios exorbitantes. En menos de un mes terminé endeudado hasta el cuello.

Mi pecera estaba en el living de la casa. Había comenzado a los cinco años con un *goldfish* cuando mis padres vivían juntos. Una mañana el *goldfish* apareció flotando en el agua con manchas negras entre sus escamas y papá lo tiró por la taza del baño y me dijo que así regresaría al océano. Fue todo un trauma y no quise saber más de peces. Sin embargo, cuando mis padres se separaron, papá, para compensar, se puso a regalarme juguetes cada fin de semana que le tocaba estar conmigo, hasta que un día me compró una pecera enorme con tres guppys. Mamá, para no quedarse atrás, compró unos escalares finísimos que dejaban chicos a los guppys de papá. Con los años, mi pecera luminosa, con un buzo que flotaba junto a un galeón hundido y un tesoro de monedas plateadas, acentuó su división de clases: los escalares y los bettas caros de mamá eran de la clase alta, los guppys y los cebras y los peces espadas de papá eran la clase media. Los peces que le compraba a Roby no entraban ni en una ni en otra categoría. Eran claramente de extracción popular.

Volvíamos del riachuelo cuando Roby dijo que necesitaba el dinero que le debía. Respondí que no tenía un peso. Dijo que sólo había una forma de pagarle. Me pidió que lo acompañara a su casa. Arturo no estaba. Entramos al cuarto de Roby.

Cerró la puerta y las cortinas de las ventanas. Encendió la televisión, cambió canales hasta encontrar una película de guerra. Los disparos y las explosiones tomaron la habitación. Me miró; traté de esquivar su mirada.

–Tranquilo, kilo.

–Tengo sed.

–¿Quieres tomar algo?

–Una Coca.

Salió del cuarto y volvió con un vaso de Papaya Salvietti.

–Lo siento, no hay Coca.

Tomé la Papaya de un trago. Dejé el vaso sobre una cómoda.

Se sentó en la cama y se bajó los pantalones.

–Es fácil. Cierra los ojos y piensa en un tablero de ajedrez. O en ovejas.

Retrocedí dos pasos y mi espalda chocó contra la puerta cerrada.

–Todo terminará antes de que te des cuenta.

Su voz era suave, pero no dejaba de intimidarme. Hubiera querido tener el coraje necesario, ser otro en esos instantes. Ser Roby.

–No te tomará ni un minuto para que estemos tás con tás.

Sin mirarlo, lentamente, me acerqué al borde de la cama y me hinqué. Cerré los ojos.

Cuando Mauri y Arturo venían a mi casa con sus bicicletas, me escondía o les decía que tenía tarea. Me preguntaban si había pasado algo: era obvio que no quería salir con ellos. Nada, nada, decía.

–Es mi hermano, ¿no? –me dijo Arturo una vez–. Es una mala influencia, Luis. Y no lo hace por ti. ¿Crees que le encanta tu compañía? ¿Qué le puedes ofrecer?

Hizo una pausa.

–Es por mí –concluyó–. Siempre se ha metido con mi vida. Ha roto mis juguetes, robado dinero de mi alcancía. Ahora me quita a mis amigos.

Entré a la casa sin contestar.

Una de nuestras tardes de pesca Roby apareció con el Dinky favorito de Arturo, el BMW anaranjado. Lo puso en el suelo de tierra y me dio una piedra. Lo miré. ¿Sería capaz?

De golpe, con todas mis fuerzas, aplasté el cochecito con la piedra. Lo tiré al río.

En las noches me quedaba despierto hasta tarde oyendo el rumor de la lluvia en el techo de mi casa, el golpeteo del viento en las paredes. Mamá se había enterado de los días que falté a clases, encontró una cajetilla de Astorias bajo mi almohada, y llamó a papá. Los dos fueron conmigo a reunirse con el director del colegio, un padre italiano de malos modales y nariz prominente llena de pelos blancos. El padre dijo que yo estaba a punto de perder el curso debido a tantas faltas y exámenes pésimos, que era un malcriado que eructaba en plena clase y les contestaba a los profesores y a los curas, y que una sola falta más sin autorización sería suficiente para que me expulsaran. Mis padres insinuaron una disculpa, que tomara en cuenta mis buenas notas en años pasados, pero el cura dijo que tenía una clase de religión y se levantó y dio la reunión por terminada.

Volvimos a casa en silencio. Cuando llegamos, me sentaron en el living y me prohibieron ver a Roby. Papá dijo que si no hacía caso a mamá me iría a vivir con él por un tiempo. La amenaza me asustó: la casa de mis abuelos era pequeña, el televisor en blanco y negro, cuando me quedaba a dormir debía hacerlo en un sofá incómodo en una sala por la que la empleada y mi abuela trajinaban desde las seis de la mañana.

No les discutí porque sabía que tenían razón. Gracias a Roby había perdido a mis mejores amigos y ahora me encontraba en falta ante los ojos de mis padres. Pero una cosa era entender que estaba equivocado y otra dejar de hacer lo que de verdad quería.

Me veía con Roby a escondidas. Él decía que apreciaba mi compañía, pues sabía lo que me estaba costando.

Una tarde fuimos a ver *El imperio contraataca.* Yo tenía en mi habitación un póster de Harrison Ford en el papel de Han Solo. A la salida del cine, le dije a Roby que algún día, cuando una mujer me dijera que me amaba, respondería, como Han Solo a la princesa Leia: "Lo sé". Se rio, aunque luego dijo que las mujeres no servían para nada.

Caminábamos de regreso bordeando la acequia que pasaba por nuestro barrio y dividía la Melchor Urquidi cuando, de repente, Roby se detuvo. Saltó a la acequia, por la que hacía tiempo no corría el agua; los vecinos la habían convertido en un basural maloliente. Escuché maullidos furiosos. Roby salió de la acequia embarrado y con un gato entre sus manos. Sacó una navaja del bolsillo de su chamarra y me la dio.

–Por algún lado hay que comenzar. Yo lo agarro.

Me fijé en los ojos de Roby, me refugié en su aprobación. No podía ser tan difícil.

La navaja hizo un corte en el lomo gris del gato, que estiró sus patas en un acto reflejo y me rasguñó en el brazo. Sentí el ardor en la piel mientras Roby gritaba que volviera a usar la navaja. El gato se escapó de las manos de Roby. Vi la sangre en mi brazo, la furia me cegó y me abalancé sobre el gato, pero fue más ágil que yo y salió corriendo.

Yo estaba hincado, resoplando. Roby gritó que corriera: una señora que nos había visto entró a su casa gritando que llamaría a la policía.

No quise volver a ver a Roby. Sentía que había llevado las cosas muy lejos y sólo quería volver a mi rutina colegial. Incluso volví a frecuentar a Mauri y Arturo, que me perdonaron que los hubiera abandonado. Nos desplazábamos en bicicleta por las calles del barrio, llegábamos hasta la Muyurina o la Recoleta. Contaban chistes o hablaban de chicas; los escuchaba en silencio, sin muchas ganas de hablar o reír.

Pasaron dos semanas. Roby venía por mi casa y tiraba piedritas a mi ventana; con los labios apoyados en la ventana, le decía que no podía salir.

–Entonces dejame entrar.

Dudé, pero terminé bajando y abriéndole la puerta. Hice que pasara al segundo piso sin que lo viera Ely, la empleada.

Una vez en mi cuarto, se bajó los pantalones e hizo un gesto con la mano para que me acercara. Me esforcé en no bajar la mirada, me concentré en las cicatrices en su mejilla.

–Es fácil –dijo.

–Sí, ya sé. Quieres que piense en tableros de ajedrez. En ovejas.

–Por mí pensá en lo que quieras.

Cerré mis ojos y volví a hacerlo.

Vino a casa varias veces más.

Un viernes a la hora del segundo recreo comía salteñas con Mauri y Arturo en el kiosco de la Quintanilla cuando apareció Roby. Llevaba puesta su chamarra de cuero a pesar de que hacía calor. Noté que tenía una cicatriz profunda en el dorso de una de las manos. Era nueva, seguro había estado peleando y yo me lo había perdido. Me fijé con más detalle en las cicatrices en la mejilla, me pregunté a qué luchas pasadas remitían.

–¿Cómo es, changos? –escupió un chicle al suelo– Así que estos son sus dominios. Puta que son aburridos.

Sonó el timbre. Arturo hizo una seña para que entráramos. No pude moverme. Mauri siguió a Arturo, que gritó que me metería en líos antes de perderse detrás de la reja.

Roby se sentó a mi lado, me pidió que le comprara una salteña. No tenía plata, pedí a la casera que me fiara. Comió en silencio y luego elogió mi decisión de quedarme con él. Yo no sabía muy bien por qué lo había hecho.

Tomamos un colectivo en la Salamanca y nos dirigimos hacia la zona sur. Bajamos en la Aroma, cruzamos las vías del tren hasta llegar al kilómetro cero de la carretera a Santa Cruz. Preguntaba adónde íbamos, y Roby respondía, una sorpresa, vas a ver que te gustará.

Tocó una puerta de calamina. Salió una negra alta con *shorts* de algodón y una arrugada polera amarilla. Se llamaba Cleyenne, la acabábamos de despertar. Dijo en portuñol que no eran horas de venir, Roby bromeó que ella era su farmacia de turno y que no se olvidara de eso. Desganada, nos dejó pasar a la casa.

Me senté en un sofá verde, plastificado. Había una salita con rajaduras en el techo y las paredes llenas de banderines de equipos de fútbol brasileños. No sabía muy bien qué hacer. Apúrate, dijo ella, tengo sueño. Roby me pidió que lo esperara y los dos se metieron en un cuarto. Escuché los gemidos de Roby y me levanté a curiosear por la cocina. Había un calendario con la imagen de un Jesucristo rockero.

A los diez minutos salió Roby y dijo que era mi turno. Me asusté.

–No te preocupes. Estás en buenas manos.

–Pero es que nunca.

–Ella sabrá qué hacer contigo.

La encontré sentada en la cama y me acerqué vacilante y sentí por primera vez la lengua de una mujer en mi boca, como si hubiera pescados deslizándose entre mis labios. Cerré los ojos y me dejé hacer.

Fuimos a almorzar a una pensión en la Aroma. Después entramos a una chichería a media cuadra, una bandera blanca en la puerta, un letrero que decía: "Ay chicha de Punata". Roby pidió un balde de chicha a una chola risueña, le dijo que pusiera música.

Roby bebía sin parar y se reía de todo; trataba de seguirle el ritmo pero no podía. Me preguntaba qué tal la brasuca, me decía que ahora sí estaba endeudado con él por el resto de mi vida. Me mareé rápidamente. Fui al baño, vomité y volví a la mesa.

–¿Estás listo? ¿Nos vamos?

Dije que sí. Tenía un regusto amargo en los labios, el sabor de mi vómito. Entré al baño y tomé un vaso de agua y me metí un chicle a la boca.

Salimos a la calle. Quise llamar a mi madre, la imaginé preocupada.

Caminamos por calles sin pavimentar. Orinamos contra una pared en la que se podía leer "Banzer vuelve el pueblo no ol". Roby hizo parar un taxi. El chofer debía tener la edad de mi padre; le di la dirección, a sus órdenes, jovencito. Una estampita de la Virgen de Urkupiña colgaba del retrovisor, un banderín del Aurora se enroscaba a la caja de cambios.

Giramos por una rotonda, agarramos la Oquendo. El taxista tenía la radio a todo volumen. Por los parlantes se escuchaba la voz de Michael Jackson.

–¿Puede bajar el volumen? –dijo Roby– Esto parece una discoteca, no se puede ni hablar.

–No se preocupe, jovencito.

–No me diga jovencito.

–Caray con la juventud de hoy en día –dijo el taxista–, alterada a más no poder.

Roby le tocó el hombro; cuando giraba el cuello le asestó un cuchillazo. El taxista se movió y el cuchillo lo alcanzó en el hombro. Gritó de dolor, cubriéndose el hombro sangrante con el brazo izquierdo. Sollozaba, imploraba que no quería morir.

Roby me pasó el cuchillo. Sentí el metal, observé ese objeto que acababa de materializarse entre mis manos como si fuera algo extraño. De hecho lo era.

–¡Rematalo, carajo!

Miré a Roby. Eran sus cicatrices las que me sacaban de quicio en ese momento. Se abrían y por ellas salía un río de agua enrojecida y furiosa en el que flotaban mis guppys y escalares, muertos.

VOLVO

A Jorge Benavides

A principios de los ochenta fui con mi curso en un viaje de promoción a Sucre y Tarija. Teníamos el propósito manifiesto de conocer más del país, chiquillos que vivíamos en el vacío creado por la campana de vidrio de la clase media cochabambina; todavía no se había puesto de moda eso de viajar a Bávaro o a otras playas caribeñas, pero seguro lo habríamos hecho si la espiral hiperinflacionaria de ese tiempo nos lo hubiera permitido. Conocer el país era apenas una excusa para encontrar un paisaje diferente a la hora del alcohol.

Durante las vacaciones de invierno nos quedamos tres días en Sucre y una semana en Tarija. En Sucre descubrimos que la Casa de la Libertad era mucho más pequeña de lo que creíamos, pero lo más notable fue coincidir con la promoción del Uboldi de Santa Cruz. Con Chichi y Juan Claudio nos acercamos a tres chicas sentadas en un banco de la plaza tomando helado. Para nuestra felicidad, descubrimos que estarían al mismo tiempo que nosotros en Tarija. Lilibeth tenía pichicas y una sonrisa que hacía florecer hoyuelos en sus mejillas. Me regaló una foto carnet dedicada que llevé en mi billetera incluso años después de que le perdiera el rastro.

En Tarija conseguimos alojamiento en un galpón que se utilizaba para prácticas de gimnasia en el estadio de fútbol. Éramos veintinueve, habíamos conseguido ese recinto gracias al Chavo, el profesor de Educación Física que viajaba con nosotros y era responsable del grupo. El Chavo era bajito y pícaro, nadie entendía cómo había logrado que los padres salesianos le dieran un cargo con tanta responsabilidad. De hecho, durante nuestra primera visita a la plaza principal, el Chavo decidió que había que celebrar nuestra llegada metiéndose con ropa a la fuente. Fue el primero en entrar, le siguieron cinco alumnos. Los tarijeños que pasaban por allí nos miraron con suspicacia.

Al atardecer, los jóvenes iban y venían por los amplios paseos recubiertos de mosaico en la plaza, tocaban guitarra bajo las palmeras o jugaban al truco mientras mateaban o comían bollos calientes. Allí me encontré con Volvo; daba vueltas en una camioneta y estacionó en doble fila sin preocuparse de la llamada de atención de un varita. Me abrazó con efusión. Lo había conocido en una discoteca en Cochabamba, ciudad en la que vivían sus primos hermanos y a la que viajaba con frecuencia. Me encanta Cocha, decía, las mozas son más abiertas. Era alto, tenía las espaldas anchas y el cabello negro ensortijado, la nariz recta y los labios carnosos; mi hermana decía: Es muy churro, nadie de Cocha está a su nivel. Había tenido varios problemas con los chicos; decían: Le gusta serruchar el piso, no respeta a nadie, busca a chicas que ya tienen pareja. No creía que su estilo molestara tanto sino el hecho de que con frecuencia las chicas se fueran con él.

Volvo estaba fumando. Me preguntó dónde nos alojábamos. En el estadio, le dije. Hizo una mueca traviesa, me dijo con su cantarín acento chapaco:

–La hija del cuidador siempre está rondando. Es negrita, fiera, chaqueña. No habla la imilla, creo que es muda, pero le gusta coger si eres un niño bien. Cuando estamos necesitados y no sale nada la vamos a buscar y nos la llevamos en auto por ahí.

Le agradecimos el dato. Nos dijo: La disco de moda es El Cuervo, nos veremos allá el viernes. El varita le había puesto una multa en el parabrisas de su camioneta; la hizo pedazos y partió.

Al día siguiente me encontré con Lilibeth en la puerta del hotel Victoria, donde se quedaba su promoción. Le regalé una rosa blanca que me había robado de la plaza, fuimos a un restaurante a comer chili con carne. Me invitó a la guitarreada que unos tarijeños habían organizado para sus amigas. Pablo me acompañó a una casa cerca de la iglesia de San Roque. A los chapacos no les gustó que llegaran chicos que no habían sido invitados. Nos sentimos incómodos y le dijimos a Lilibeth que nos iríamos; ella se solidarizó y decidió irse con nosotros. Esa noche la besé en la plaza.

El viernes por la mañana vi a la hija muda del cuidador merodeando por el galpón y se lo dije a Chichi. Más me hubiera valido callarme. Chichi se le acercó; en la distancia observé que le hablaba. Al rato volvió y me dijo que tenía todo arreglado. Apenas viera salir al Chavo rumbo a una visita a la Catedral, ella entraría al galpón. Él la estaría esperando metido en su *sleeping* sobre su catre. Ella no había hablado, pero movió la cabeza afirmativamente cuando él le hizo la propuesta.

El Chavo y un grupo de diez alumnos salieron de paseo a las once. Hubiera querido ir, pero pudo más la curiosidad y me quedé. Al rato la hija del cuidador, descalza y con una falda azul que le llegaba hasta la rodilla, se apoyó en la puerta del galpón. Uno de los chicos que sabía lo que iba a ocurrir le indicó el catre de Chichi. Ella se acercó. Echado sobre mi *sleeping* a cincuenta metros de donde estaban, me hice el que leía una novela de Sabato. La chica no debía tener más de trece años; se desnudó, asomaron sus pechos como tímidas formaciones arenosas. Se metió en el *sleeping* de Chichi. Sus gemidos eran guturales, desesperados; comunicaban angustia y desesperación en vez de placer. No aguanté más y salí. No encontré al grupo. Tampoco estaba Lilibeth en la plaza. Recorrí la ciudad por mi cuenta, traté de distraerme admirando sus balcones coloniales, la placidez de sus calles, el ritmo aletargado con el que la gente discurría por la vida.

Volví al estadio a la una de la tarde. Pablo no me dejó entrar al galpón. Me dijo que esperara mi turno. ¿Qué turno? La hija del cuidador seguía allí adentro.

–Nueve ya se han servido de ella. Yo soy el siguiente. Si quieres vas a tener que anotarte. El Chichi está llevando la lista.

–No puede hablar. ¿Cómo saben si quiere?

–Mal no lo está pasando, te lo aseguro. ¿Te animas?

Escuché gritos en el galpón y le dije que no me interesaba. Entré al estadio, me senté en las graderías de cemento mirando la cancha vacía, el césped ralo. ¿Debía volver, intervenir? ¿Qué ganaría? *Defensor de causas perdidas*, me habían llamado tantas veces que al final mis buenas intenciones se habían convertido en una caricatura tan despiadada como certera.

Dejé que pasaran los minutos sin levantarme de las graderías. No quería que mis compañeros pensaran que era un mojigato.

Cuando volví me encontré con el Chichi en la puerta. A Pablo le había llegado su turno.

–¿Te vas a animar?

–¿Qué tal… qué tal está la chaqueña?

–Tiene buen cuero y se mueve mucho, pero sus gritos me ponen nervioso.

–¿Vale la pena? –dije con un tono de que sabía de esas cosas, yo que apenas me había iniciado cuatro meses atrás, con una morena del Kalvert que me había llevado a un motel sin que se lo preguntara y que incluso tenía condones en su cartera. Con ella había tenido tres encuentros en moteles, dos de ellos dignos del olvido.

–En tiempos de guerra cualquier *aujero* es trinchera.

Ajá, te estás animando pendejo. Pero tienes que esperar un montón.

–Yo te pasé el dato. ¿Cuántas veces te he hecho copiar en los exámenes? Si lo pienso mucho ya no voy a querer.

Chichi dudó. Hizo una sonrisa pícara.

–Sólo porque eres medio cartucho –anotó mi nombre en la parte superior de la lista.

Llegamos a El Cuervo después de haber tomado varias botellas de vino bajo el molle de una plazuela. Hicimos un juramento de que lo ocurrido con la hija del cuidador no saldría de Tarija. Ni siquiera al Chavo se le contaría nada, ni en chiste. Al que hablaba le esperaba una pateadura para que se acordara el resto de su vida.

A la entrada de la disco había una aglomeración. Comenzamos a empujar con mis compañeros; terminé en la primera fila y logré entrar junto a Juan Claudio y Pablo. Pagué la entrada, me di la vuelta, vi que varios estaban todavía perdidos en la aglomeración. En ese momento llegó Volvo con sus amigos. Habían estado tomando, se les notaba en los ojos. Se me ocurrió que Volvo debía saber lo que su sugerencia había ocasionado. Seguro se reiría cuando se lo contara.

–¿Quién te ha dejado salir hasta tan tarde? –me gritó, sonriente–. Ya deberías estar en pijamas a esta hora.

–El que debería haberse quedado en su casa eres tú –le seguí la broma–. ¿No te has visto la cara de wawa?

—¿Y quién carajos sos vos para decirme eso? ¡Esperá nomás a que te agarre, no me aguantás una pasada!

Su rostro se transformó; dejé de reconocerlo como un amigo y lo vi como un borracho ofendido en su hombría. Trató de abrirse paso entre los que esperaban para alcanzarme. Me llevaba una cabeza, se me ocurrió que lo mejor era esconderme en la oscuridad de El Cuervo. Las del Uboldi estaban bailando solas en la pista. Una de ellas me señaló a Lilibeth en una mesa en el rincón. Me senté a su lado, le pedí que me abrazara.

–¿Pasa algo?

–Ha sido un día muy largo.

Me besó y sentí que lo que debí hacer apenas llegué a Tarija era buscar a Lilibeth, olvidarme de Volvos y compañeros y no separarme de ella ni un instante.

Al rato un policía se me acercó y me preguntó si era de la delegación cochabambina. Asentí.

–Tiene que salir. Los vamos a escoltar hasta su alojamiento.

–¿Escoltar?

–Me ha oído bien. Rápido, rápido, por favor.

Me despedí de Lilibeth con un beso fugaz. Estaba nervioso, y no sabía que nunca más la volvería a ver.

A la salida descubrí que había habido una pelea campal entre tarijeños y mis compañeros de curso. Volvo, al tratar de agarrarme, había empujado al Salvaje, un beniano musculoso que estaba con nosotros desde primero medio y al que nadie se animaba a decirle su apodo de frente. El Salvaje se dio la vuelta y le gritó: Pedí disculpas carajo; Volvo respondió con un puñetazo en la cara. Mis compañeros salieron en defensa del Salvaje. Saltaron los amigos de Volvo y se les unieron otros chapacos. Fue una pelea desigual. El Salvaje terminó con dos costillas rotas; otros tenían contusiones en el cuerpo y cortes en la cara. Los tarijeños no paraban de gritar que el petróleo era de ellos, podían ser una región rica si no fuera que nosotros nos lo llevábamos todo.

Escoltados por la policía, cabizbajos, nos alejamos de El Cuervo entre insultos y a la medianoche volvimos al estadio. Paramos en un hospital semidesierto para que un par de compañeros recibiera atención. Me pregunté qué me diría Volvo la siguiente vez que lo viera en Cochabamba, tomando helados con sus primos en El Prado o acaso con alguna chica, quizás mi hermana.

Dos años después, el Salvaje volvió a Tarija con dos amigos. Esperaron a Volvo en la puerta de su casa. Lo agarraron a golpes con una vara de acero, le dieron de patadas en el suelo. Volvo estaba borracho y, a pesar de lo grande y fuerte que era, no tuvo tiempo de reaccionar; imploró perdón hasta que la sangre que salía por su boca le impidió hablar. Un testigo afirmó que escuchó al Salvaje ordenar a sus amigos golpearlo en la cara hasta que ni sus papás lo reconocieran. No lograron su objetivo: sus papás pudieron reconocerlo en el hospital; sin embargo, no sirvió de mucho porque Volvo no podía contestarles con una tibia sonrisa, un leve movimiento de la mano o una palabra. Había entrado en un coma profundo del que, veinte años después, todavía no salía.

El Salvaje se escapó del país, uno de sus hermanos me dijo que al Brasil.

Ya no me queda casi nada de ese viaje de promoción. Recuerdo el nombre Lilibeth, pero no la forma en que besaba ni su rostro ni su silueta ni su voz. De tiempo en tiempo se me aparece, de la nada, la hija muda del cuidador. Abre la boca, intenta hablarme, pero su lengua es un pedazo sanguinolento de carne. A ella trato de olvidarla, pero no puedo.

Alguna vez pensé que Volvo había cosechado lo sembrado, que los caminos del Señor eran extraños y habían logrado unir lo ocurrido con la hija del cuidador con el destino fatal de Volvo. Ahora ya no. Me he quedado sin ese consuelo, y en ciertas tardes largas y noches insomnes de esta ciudad que ya no es Cochabamba busco sosiego en vano.

Como la vida misma

Ya sé que usted, como todos los periodistas, quiere saber qué fue exactamente lo que ocurrió. Reconstruir los hechos y ver si eso arroja una verdad. Hay muchos testigos y no le será difícil armar un relato coherente. El problema, supongo, será lograr que los hechos hablen. Porque si bien en principio todo esto tiene una fácil explicación, o más de una, en el fondo verá que hay algo inexplicable, incapaz de ser atrapado por el sentido. Como la vida misma, por cierto.

Soy el cuidador de las canchas del estadio. No me pagan mucho y me hacen correr un montón, Elizardo por aquí, Elizardo por allá, pero heredé este trabajo de mi tata, Dios lo tenga en su santa gloria, y aquí me he de morir. Todos los días, por la mañanita, recibo una planilla con la lista de quienes utilizarán las canchas auxiliares. Hay campeonatos de todo tipo, ligas intercolegiales, torneos fabriles, interbancarios, no aficionados A, prácticas de los equipos de primera, de segunda, un largo etcétera. ¿Fuma?

El partido del sábado es una tradición bien larga, pues... Cuándo habrá comenzado, no lo sé. ¿Una latita más? Después la paramos... Está abierto a todos los ex futbolistas profesionales. Yo vengo desde hace tres años... Como muchos, con mi familia. Mi mujer, los hijos. Una especie de reunión de camaradería. Alguno trae sándwiches de chola, otro refrescos... Se acercan las anticucheras, aparecen los heladeros y los dulceros, y muchos espectadores, un clima de partido de verdad. Cruzamos apuestas, billetes, a veces la cuenta de la comida después del partido.

Elizardo. Elizardo Pérez. ¿Ya se lo dije? Hay tantos partidos y canchas, a veces se producen confusiones. Así que no sólo cuido las canchas sino que me encargo de aclarar las confusiones, mandar a estos a la cancha de por allá, a los otros a la de más acá. A veces vienen coladores, tipos que no han alquilado cancha y quieren jugar un amistoso, y los tengo que sacar. A veces no me hacen caso. Estoy solo, pues, no tengo ayuda de las fuerzas del orden, ¿qué puedo hacer? Veo uno que otro partido, pero minutos nomás, todo un correteo es, pues.

Vienen jugadores que estuvieron en la selección nacional, como Cordero, famoso porque una vez le metió un golazo a Brasil en el Maracaná… Viene en su BMW, le ha ido bien, colgó los cachos y abrió una escuela de fútbol y ahora tiene como seis tiendas de ropa deportiva en todo el país. Es de los pocos, la mayoría siempre anda peleándola, con deudas, problemas… El Croata, por ejemplo, un mujeriego y bien dado a los alcoholes es, cualquier rato le rematan la casa. Qué gran arquero que era, una araña. ¿Lo vio atajar en el Wilster? Seguro que sí. Dígame, ¿ha visto algo más triste que un ex futbolista? Usted debe andar por los treinta y cinco, si no me equivoco. Treinta y cuatro, qué le dije. Y está recién comenzando a ser conocido… Nosotros, a esa edad, estamos jubilándonos. Y tenemos media vida por delante para vivir de recuerdos. A veces me sorprendo cabeceando al aire, como si estuviera en medio de un partido. Otras noches tengo insomnio cuando revivo una mala jugada mía que ocasionó un penal y trato de construir una historia paralela en la que mi pase retrasado a un compañero de defensa llega a destino. Es duro. Friecita, como me gusta, ya se abrió la tripa, agarrate, Catalina, que vamos a galopear… Ahora, nada de eso justifica lo que ocurrió el sábado. Así que no se confunda y no crea que estoy tratando de buscar excusas para Portales. Lo que jamás me pierdo es el partido de los sábados de los de la mutual. Juegan en la mejor de las canchas que tenemos, la grama bien cuidada, las rayas marcadas. Ahí sí, me pueden estar llamando porque se armó una bronca en el otro costado, no me muevo ni a palos. Un lujo, ver en acción a las viejas glorias del fútbol nacional. Ya están viejitos, no corren mucho, una barriga que da miedo, pero igual, el que sabe, sabe y punto. Cómo tratan a la pelota, con qué elegancia. Son eufóricos, se toman su fútbol bien en serio, cualquiera diría que están jugando la final de un campeonato profesional. Es que el fútbol es nomás una gran pasión. Aun así, jamás hubiera pensado que llegaría a ser testigo de lo que presencié el anterior sábado. De sólo acordarme me da escalofríos.

A Gerardo Portales lo conocemos como *Gery*. Gran delantero, oiga, tan grandote, lo mirás y decís: Un tanque cualquiera, y sin embargo un nueve de esos con una gambeta loca y un oportunismo que ni Tucho. Jugué con él tres años. Tipango además, siempre un chiste, una sonrisa, una travesura en los camarines. Decite que una vez ocultó los cachos de todos los defensores antes de un partido clave contra el Bolívar. Mantuvo la joda hasta el final, por poco se tuvo que suspender el encuentro. Lástima que se rompió los ligamentos de la rodilla derecha en la plenitud. Pudo volver a jugar, pero ya no fue el mismo. No pisaba bien, las peores lesiones son las de la rodilla. Además la psicológica, tenía miedo y no le entraba con fuerza a la pelota. Una sombra del que fue. Una pena, se retiró del profesionalismo antes de los treinta.

En la mutual volvió a ser un astro, goleador todos los años, siempre en buen estado físico y oliendo a Bengay. Claro, con todos jugando en cámara lenta, no se nota tanto su problema. Le decimos cosas de mal gusto, lo llamamos diciéndole: Ven, gay, ven, gay, y él nunca se ha molestado. Es de los que con más ansias espera el partido de los sábados. Siempre llega con su mujer y sus dos hijos. Los chicos son de siete y cinco, y creo que a él le apenaba que no lo hubieran visto jugar en sus momentos de gloria. Así que el partido de los sábados es un premio consuelo.

Gery llegó con su mujer y sus hijos. Los chiquillos son muy parecidos entre sí, el pelo negro, bien rizado, como su papá. De sonrisas grandes, de ojos abiertos. Eso es lo que más pena me da. Que hayan visto todo. Y no sólo ellos, sino también el hijo de Aldunate, que es un poco más grande, unos once años, y comprende lo que ocurrió. Todos ellos corrieron a ver lo que pasaba. Como todos, por cierto. Si no hubieran estado ellos, podría haber aceptado un poco más lo que pasó. ¿Para qué joder así la vida de unos críos?

Yo sólo vendo anticuchos. Yo no vi nada.

Algunos dicen que es un buen tipo. No me consta. Muy orgulloso, se cree la muerte. Según él, si no hubiera sido por su lesión, habría llegado a la selección nacional, y quién sabe hubiera terminado en el extranjero. Para mí que la lesión le permitió construirse un mito del *destinado a cosas mayores al que el azar le jugó una mala pasada*. Como para una película de segunda. Yo creo, más bien, que es un chiquito de buena familia, al que no le ha faltado nada nunca, y que por eso le falta temple. No sudaba la camiseta. Los verdaderos grandes han podido volver de lesiones peores. Él se achicó. Pero como somos nomás clasistas, nadie dijo la verdad. Y ahora resulta que el periodismo se compadece de él y trata de justificar lo que hizo. Aldunate viene de una familia humilde y no habrá muchos que lo defiendan. Excepto los hechos mismos.

Ah, Aldunate. Una pulga en la oreja. A mí me caía bien, se paraba a charlar conmigo, me daba una propina. Al verlo tan chiquito y nada menos que de defensor central, uno lo subestimaba. Pero tenía reflejos admirables, se enfrentaba a los más grandotes y no sé cómo hacía, en el último segundo estiraba la pierna y se quedaba con la pelota. Los delanteros lo odiaban. Si no hubiera sido cuidador habría sido futbolista profesional, y hubiera jugado de defensa central, en el puesto de Aldunate. Parece que le está molestando el humo. Mi mujer siempre se queja de eso, estos cigarrillos muy mal huelen pues.

Gery odiaba jugar contra Aldunate, se ponía de mal humor cuando lo veía llegar. Aldunate no era de los que venía todos los sábados, tenía un taller en el que hacía placas y demás fierros para dentistas, a veces tanto trabajo que no salía todo el fin de semana. La verdad, Aldunate era impasable para Gery, y eso lo tenía mal al pobre. Gery me dijo una vez que Aldunate usaba tácticas sucias, pincharlo con alfileres en los *corners*, jugarle la psicológica diciéndole que era un hijito de papá que se había inventado la lesión porque le pesaba la camiseta, esas cosas. A mí no me consta, oiga. Claro que eso es normal entre futbolistas, hay tantos que no nos podemos ver en la cancha y después del pitazo final nos vamos a comer una parrillada a una de las churrasquerías cerca del estadio.

Mi papá no es criminal. Mi papá no es un criminal. Mi papá no es criminal. Ha matado a alguien, sí, pero en defensa propia.

Discúlpeme, no puedo hablar. Mi Gery… mi Gery. El sábado por la mañana fuimos al supermercado. Los que hacen cosas así no van al supermercado. Discúlpeme, no diré una sola palabra más. Él hizo eso, y sin embargo fue al supermercado conmigo, así que hay algo aquí que no entiendo.

Ser árbitro no es una vocación. Es un destino. Yo estudiaba filosofía en la facultad en La Paz cuando me di cuenta que lo mío era otra cosa. Alguien debía vestirse de negro y hacer de Dios para las multitudes dominicales. Un Dios que controlara el curso de los acontecimientos en base a aciertos y errores, que fuera querido, insultado, maldecido y ramas afines. Nunca llegué a dirigir un partido en primera, pero esa es otra historia, se la contaré si me lo pide. Dirijo a mucha honra los partidos de la mutual. Lo que ocurrió… lo que ocurrió. Imposible que mis palabras hagan justicia a los hechos. Lamentablemente para usted, y para mí, el lenguaje es insuficiente para dar cuenta de la realidad. Por eso yo prefiero no abrir la boca en la cancha, y dejo que mi silbato hable, y mis tarjetas.

Una semana muy tranquila, ninguna queja, nada de nada, Gery es de los que no levanta la voz, acepta las cosas como vienen, gran carácter. Jamás me mencionó que tenía animadversión al… al… disculpe, no puedo pronunciar su nombre. Pobre su familia. Su esposa, su hijo. ¿Hará frío en las noches? Me han dejado entregarle un par de frazadas, pero dice que el Hilakata se las ha quitado.

Lo único que quiero es justicia. Que lo de mi marido no sea en vano. Que ese hijo de puta se pudra en la cárcel.

Mi hermano vive por y para el fútbol. Desde chiquito fue así. Tiene los videos de todos los mundiales. Videos con lo mejor de Maradona, de Pelé. Compacts con los himnos de Barcelona, de Boca, de Flamengo. Pósteres de Wilstermann, Oriente, The Strongest. Camisetas que le dieron al final del partido, una de Borja, manchada de sangre, otra de Gastón Taborga, con quien se identifica, porque dice que si no fuera por sus múltiples lesiones Taborga hubiera sido fácil el mejor jugador de la historia del fútbol nacional. Pelotas de partidos históricos, una firmada por Jairzinho. Autógrafos en servilletas, en pañuelos, en entradas al estadio, de Erwin Romero, Baldivieso, el Diablo. Montones de ejemplares de *El Gráfico.* Me pregunto si alguien que es capaz de coleccionar todo eso, de guardarle semejante devoción al fútbol, es el mismo que hizo lo que hizo. Y no lo creo. Yo no estuve allí, no vi lo que ocurrió, de modo que no me la creo. Hay muchos que dicen que sí, es verdad, no hay vuelta que darle. Quizás se trate de una alucinación colectiva. Quizás mi hermano, bromista como es, fingió darle a Aldunate con el tubo, y Aldunate se tiró al piso y ahí nomás se rompió la cabeza.

•

Mucho verde. Verde y líneas blancas, y camisetas amarillas y rojas, y shorts negros y azules, y medias blancas y rojas, y cachos negros, sucios, viejos, y banderines rojos, manchas cafés en el fondo, detrás del verde y el blanco, y un azul en realidad medio celeste, y puntos negros sobre nuestras cabezas, y el olor de los anticuchos, y el polvo, y a los bordes de las líneas blancas las cabezas sobre las ropas, sobre las camisas y los pantalones, y el cemento gris de la caseta. Mucho verde.

El equipo de Alfonso Aldunate ganaba uno a cero al final del primer tiempo, gol de Alvarenga, tiro libre al rincón donde duermen las arañas. Un par de empujones entre Portales y Aldunate, cobrados por el árbitro a favor de Portales y sigue el juego, la redonda va y viene, quién iba a pensar que la sangre llegaría al río. El segundo tiempo, Aldunate le entra fuerte a Portales, intercambio de insultos, el árbitro los separa y le muestra el cartón amarillo a Portales. Dos a cero, cambio de frente espectacular de Cordero para el Cholo Marzana, este que le gana a su defensa y se mete al área y encara y le cuelga la esférica al Croata. Espectacular. Viejos y todo, aquí deberían venir los profesionales a aprender. Faltan veinte minutos para el final. Gran jugada de Portales, un túnel a Aldunate y se le va, está a punto de pisar el área grande cuando Aldunate lo tira al piso. Último hombre, yo diría que roja sin contemplaciones. El sepulturero camina más que corre, está un poco gordo el pobre. De pronto, Portales se levanta y comienza a agarrarlo a patadas a Aldunate. Nos metemos a separarlos. El sepulturero expulsa a Portales y amarilla para Aldunate. Una equivocación, debía haber expulsado a los dos.

Digamos que no soy su médico de cabecera, pero sí, he tenido acceso al historial del señor Portales. Yo lo operé de la rodilla. El ligamento anterior cruzado, una operación común. Tenía principio de artritis, los huesos y los cartílagos estaban en muy mala condición, vale decir que él se lesionó hace mucho, digamos en colegio, pero no lo operaron, y él creyó que no era para tanto y siguió jugando. Después de la operación le receté unas pastillas para controlar la inflamación de la rodilla. Hace unos meses le di pastillas para dormir, nada fuerte. Tenía insomnio pero no me dijo los motivos, y digamos que yo no pregunté. He leído el historial, nada fuera de lo normal, si me permite decirlo. Sé de esas teorías de que los criminales nacen, y esas otras de que se hacen, que su medio ambiente, que un golpe en la cabeza de chiquito, bla, bla, bla. Digamos que en el historial médico del señor Portales no hay nada de eso. Que yo sepa, al menos. Quizás sus vecinos, sus familiares, le puedan informar mejor que yo. Digamos.

Gery salió de la cancha por donde estaba el arco rival... No hubiera pasado nada, pero se dio la vuelta y se encontró con la sonrisa de Aldunate. Una sonrisa que le decía, te volví a joder. Y quizás no hubiera pasado nada de no ser porque tirado en el pasto, al lado del arco, había un tubo de metal... El cuidador es un viejito, se ocupa bien de las canchas pero todo el espacio adyacente a las canchas es una porquería, un basural. Para mí que ahí el cuidador tuvo la culpa. ¿Otra latita? Gery vio el tubo y perdió el control... Yo creo que ni siquiera tuvo tiempo de pensar nada. Alzó el tubo y entró corriendo a la cancha detrás de Aldunate, que le daba la espalda. Todos reaccionamos tarde. Incluso los que vimos lo que iba a pasar, no nos la creímos... Yo creo que el primer golpe fue suficiente, directo a la nuca, si no lo mataba por lo menos lo hubiera dejado paralítico. Aldunate cayó al gramado y antes de que alguien detuviera a Gery ya había recibido unos seis o siete golpes... Había sangre por todas partes.

Mi hijo tuvo una infancia muy linda. Todo a su disposición, creció en un hogar sano. Su papá y yo jamás nos peleamos, claro que después el infeliz me dejó de la noche a la mañana, pero a esas alturas Gery ya estaba grandecito y jugando en primera. Amigos de las mejores familias, buen chico, un estudiante no de los mejores, pero bueno. Una que otra pelea en el colegio, ya sabe cómo son los jóvenes. ¿Está usted insinuando...? Lo siento, ya no hablaré más con usted. ¿Cómo se atreve?

Alfonso tenía en su casa fotos enmarcadas de su carrera de futbolista. No muchas, decía que quería evitar las trampas de la nostalgia. Idolatraba a Beckembauer, a Passarella, esos defensores de temple capaces de ponerse un equipo a los hombros. A veces le hubiera gustado ser un poco más alto, pero se decía que si con su tamaño Maradona había llegado tan lejos, no había que hablar más del tema. No leía mucho los suplementos deportivos de los periódicos, ni las revistas, ni le gustaba ver los programas deportivos en la tele. Decía que endiosaban a los delanteros y se olvidaban de los arqueros y de los defensores. El mundo parece ser de los que atacan, le escuché decir más de una vez, y a nosotros que nos coma el gato. En los últimos años le había dado por el tenis, y practicaba todos los días de siete a ocho de la mañana. No quería que su hijo fuera futbolista. Quería que fuera dentista.

Seré futbolista. También seré dentista.

Todo ocurrió a cinco metros de donde yo estaba. Le mentiría si le dijera que me di cuenta de lo que ocurrió. Miré al suelo un segundo, me desconcentré, me llegó a los ojos el resplandor del sol en esa típica tarde cochabambina, tan linda y calurosa, el cielo despejado. Fue como si hubiera pestañeado, y al terminar de hacerlo un tipo que no conocía agarraba a palazos a otro tipo que yo no conocía. Creo que nunca tendré una oportunidad semejante de ver de cerca cómo mata y cómo muere un ser humano. Y me la perdí. ¿Patético, no?

Mucho verde. Y luego rojo, mucho rojo.
Malagradecidos. Tanto les he cuidado la cancha, la he

regado y he hecho cortar el pasto y rellenar baches y pintar los postes y conseguir nuevos banderines para las esquinas del *corner*, y son capaces de decir que yo tuve en algo la culpa, por haber dejado ese tubo detrás del arco. Dígame, ¿es culpable el que deja un revólver sobre una mesa, o el que usa el revólver? Estamos hablando de gente civilizada, que ha salido en los periódicos, ha dado mil entrevistas y ha firmado muchos autógrafos, tiene familia y viene a divertirse unas horas un sábado por la tarde. ¿Se imagina usted un hecho de sangre en ese escenario? Así que conmigo no se metan.

No insista. Ya le dije, el lenguaje, la realidad. Mi silbato, las tarjetas.

Portales estaba fuera de sí, oiga. Tan robusto, entre tres lo tuvimos que sujetar. Alguien llamó desde su celu a la policía. Había muchos espectadores, y la noticia cundió por las demás canchas auxiliares. Al rato, toda la cancha estaba lleninga de curiosos. ¿Podremos volver a jugar los sábados? Ahí mismo, seguro que no.

Claro, es un hecho extremo, pero quién sabe, quizás permitirá que la gente comprenda un poco más lo que nos toca... El parpadeo de la gloria, del vivir en olor de multitudes, de ser tapa de suplementos deportivos, ídolo de jóvenes y ancianos, y luego el turbio revés, el lento olvido, la pausada agonía… Por cierto, no estoy sugiriendo que esto no hubiera ocurrido en un partido del campeonato interbancario. Pero bueno, ocurrió aquí, y hay que tratar de entenderlo aquí.

Portales no ha hecho declaraciones. No nos ha explicado qué pasó por su cabeza en esos segundos previos al estallido. La semana previa al estallido. Los años previos. Qué frustraciones, odios o rencores se fueron acumulando en su interior, sin que ni siquiera él se haya dado cuenta. O quizás se dio cuenta y pensó que no era para tanto, ni siquiera para contárselo a su mujer o sus amigos. Hizo trizas un cuadro, y nos dejó a nosotros para que tratemos de reconstruirlo. Quizás él sepa cómo hacerlo, pero lo más probable es que no.

Todos corrieron a la cancha. Yo vi todo desde lejos, sentí que era tarde para hacer cualquier cosa, y fui el único que corrió hacia donde estaban la mujer y los hijos de Gery. Marina me preguntó qué había ocurrido. Lo peor, dije. Papá parece que mató a alguien, dijo el mayor de los chiquillos, Gery Junior. ¿Será que sigue el partido?, preguntó el menor, Eduardito. La mujer y el hijo de Aldunate estaban cerca. A la mujer le dio un ataque de llanto. Fue corriendo a la escena del crimen. El hijo no se movió, quizás estaba *shockeado* por lo que acababa de ver. Yo creo que la procesión iba por dentro. Supongo. Es un chico raro, muy callado, observa todo y jamás participa.

Mi papá está muerto. Lo vi todo. No me pida que se lo cuente. Lo que vi, no lo vi yo, lo vio alguien que está dentro de mí y que me conoce bien aunque prefiere mantenerse escondido. Yo seguiré viviendo, iré la próxima semana a la escuela, volveré a jugar con mis amigos, a soñar con ser futbolista profesional. Ese alguien se acordará por mí de todo lo ocurrido y algún día tratará de vengarse. Todavía no sabe cómo. Ya lo sabrá.

Podré entender todo, menos un hecho así en presencia de los hijos. Portales debió decir, mis hijos y su hijo están aquí, mejor espero a que estemos solos. Eso es imperdonable. Me sueño con ellos mirando desde el borde de la cancha lo que hacen sus mayores. Mejor, lo que uno hace, lo que el otro recibe.

¿Llegó a alguna conclusión?

Azurduy

Esto ocurrió hace varias décadas, cuando, ya terminada la Normal, fui a hacer mi año de provincia a un distrito minero en Oruro. No había cumplido los veinticinco años y tenía toda la energía que se necesitaba –que creía que se necesitaba– para afrontar semejante compromiso. Todavía el mundo no me había decepcionado y creía que no había mejor forma de hacer patria que conocer el país profundo. Papá me dijo que la ignorancia no sólo era atrevida sino estúpida; hacer patria, las pelotas. La patria está deshecha y mejor curarse de espanto y asumirlo. Ya verás lo que es vivir en el altiplano y sentir el frío en tus huesos. En todo el cuerpo, concluyó enfático. ¿Y ducharse sin agua caliente? Mamá no dijo nada porque ya había fracasado cuando trató de que yo estudiara abogacía o economía. Fue tu culpa, le dije aquella vez, lo heredé de ti, recordándole que ella había ido a la Normal y había sido profesora de música hasta que se casó con papá. Lo hice porque en esa época si vivías en Sucre y eras mujer y querías irte de tu casa no te quedaba otra, contestó. Ahora es diferente. Y nada. Yo había heredado la terquedad de papá.

Un sábado a principios de febrero la flota me dejó en una plazuela del distrito. El encargado de la venta de pasajes me explicó cómo llegar a la casa que el Magisterio me había asignado. Caminé bajo la tenue luz de la mañana, arrastrando mi maleta con los dedos ateridos. Llegué a una calle de casas diminutas a las faldas de un cerro; todas iguales, de un piso, una al lado de la otra. Casas construidas en serie por un magnate minero antes de la Revolución y la nacionalización. Se habían equivocado: no era un minero, no me tocaba vivir allí. Y sin embargo la dirección era la correcta.

Metí la llave en la cerradura de la puerta y esta se abrió. Encendí la luz. Un camastro en una esquina, al lado una caja vacía de manzanas argentinas, una mesa desvencijada y un anafe. El suelo era de tierra y había olor a bosta de vaca. ¿Y dónde estaba el baño?

Había traído una frazada y me tiré sobre el camastro vestido como estaba. Me cubrí con la frazada y, pese a que el soporte metálico sobre el que estaba echado me laceraba la espalda, no tardé en dormirme.

Poco rato después me despertó un vozarrón. Era tan fuerte que parecía provenir de la misma casa. Escuché golpes en el suelo y las paredes, los gritos desesperados de una mujer, el llanto de unos niños. Me tapé los oídos con una chamarra, en vano. Los ruidos ganaron en intensidad. Su origen era la casa contigua a la mía.

Me levanté y fui a ver qué pasaba.

Golpeé a la puerta. Se hizo el silencio. La puerta se abrió y me encontré con un hombrón. Era fuerte y musculoso, nada que ver con la imagen del minero sufrido y esmirriado que circulaba en las ciudades; y era alto, muy alto, yo apenas le llegaba al pecho. Sus manazas bien podían estrujar gallinas con facilidad.

–¿Se puede saber quién gramputas molesta tan temprano? –la voz era ronca, intimidatoria.

–Soy su nuevo vecino, disculpe. Los ruidos no me dejaban dormir. Por lo visto no es nada, disculpe.

–No me pida disculpas dos veces pues. ¿Y de dondecitos ha salido usted?

–Soy el nuevo profesor para la escuelita.

–¿Conque el nuevo profesor? ¡Socia!

Fue como si hubiera pronunciado una frase talismánica. El rostro del hombrón se relajó hasta armar una sonrisa de dientes tomados por el escorbuto. La mujer apareció a su lado. Era diminuta, tenía los ojos enrojecidos y el pelo desgreñado, como si se acabara de despertar de un mal sueño. Tres niños se aferraban a sus piernas. El mayor no debía tener más de seis años.

–¡Es el nuevo profe, Luisa! Pase, pase... A ver, socia, prepárale alguito.

–No se moleste –la mano del hombre se posó con fuerza en mis espaldas y me hizo entrar a la casa de un empellón–. Será mejor...

–No nos va a rechazar nuestro cariño. ¿Cómo dijo denantes que se llamaba?

–Gustavo Deza.

–Yo soy Miguel Azurduy. Todo el mundo me conoce como Azurduy aquí. Siéntese, por favor, qué alegría.

Me estrechó la mano, sentí que su presión pulverizaba mis huesos.

La mujer se dirigió a la cocina a encender el anafe y poner una caldera llena de agua al fuego. La observé de perfil y descubrí que estaba embarazada. Pronto serían seis. ¿Cómo harían para caber en una casa que a mí solo me quedaba chica?

Las clases comenzaban a principios de marzo. Tres días después de mi llegada al distrito visité la escuelita "Nueve de abril", una construcción con paredes de adobe y ventanas rotas. A la entrada de la oficina de la directora había una bandera nacional: un trapo sucio, de colores deslavados. La directora, una morena de ojos movedizos, me dio la bienvenida y me invitó una taza de café aguado. De su rostro no se le borraba la sorpresa: le costaba creer que el nuevo maestro que había pedido al Magisterio le había sido concedido. Me explicó que había cursos sólo hasta quinto básico; los niños que querían continuar después el colegio debían irse a Oruro. Nadie lo hacía. Todos se dedicaban a ayudar a sus papás en la mina.

No había sido un amor a primera vista. La escuelita no daba para mucho.

En el canchón donde imaginé que los niños jugaban al fútbol en los recreos, podía ver, a través de la ventana, a un par de vacas comiéndose el poco pasto que crecía.

Tardé un par de semanas en instalarme en la casa. Azurduy me ayudó bastante, aunque él no hiciera más que dar órdenes que se cumplían con rapidez. Luisa vino a barrer el piso, a limpiar el cuarto. Gente del barrio donó sillas, una cómoda desvencijada, un espejo roto, utensilios de cocina. La letrina, que se encontraba detrás de la casa, fue limpiada de malezas y telarañas. Muchas veces, cuando debía salir al frío de la noche para orinar, hacía un esfuerzo por aguantarme lo más que podía. Me acostumbré a la precariedad de mi nueva vivienda, pero no al baño. Conseguí un bacín de aluminio para mis noches más desesperadas; usarlo me hizo recordar cuando era niño y me quedaba a dormir en la casa de mis abuelos en Chiquicollo y ellos me dejaban una bacinica de plástico bajo la cama.

Azurduy me preguntaba todos los días si había algo más en que podía ayudarme. Parecía tener alrededor de cincuenta años, pero seguro rondaba los treinta y cinco: la mina tornaba rugosa la piel, encallecía las manos. Era un grandote bonachón, capaz de ser gentil a pesar del susto que provocaban el trueno de su voz y la violencia de sus gestos. Me invitaba todas las noches a su casa, cuando llegaba del trabajo, y su tono no daba lugar a la negativa. Su compañía era agradable, pero también me preguntaba cómo lo tomaría si rechazaba sus invitaciones. Se sentaba en la mesa con la misma ropa con que había llegado del trabajo –un guardatojo oxidado, botas llenas de barro, camisa y pantalones de lona– y me invitaba a acompañarlo mientras Luisa preparaba algo para comer y sus hijos jugaban en una esquina de la habitación.

La primera vez que Azurduy me sirvió un vaso de un líquido transparente, me quemó tanto la garganta que debí esforzarme para no devolverlo.

–Parece alcohol de quemar –dije.

–Es alcohol de quemar –sonrió–. Un quemapecho. A ver, a ver, de nuevo, como hombre pues.

Me habían dicho que en los distritos mineros la vida era tan dura y el frío tan cortante que se tomaba alcohol puro. Lo había escuchado muchas veces, pero mi cerebro no había procesado del todo esa información. Supongo que pensaba que me hablaban en hipérbole. Azurduy tomaba ese líquido venenoso de lo más tranquilo. ¿Cómo debía tener la garganta? Una ampolla. Una costra escamosa, una suerte de tubo de metal que la tornaba insensible al pasar ese líquido inflamable por la garganta. Un eructo suyo podía incendiar su casa.

Mientras comíamos un guiso de fideos, Azurduy me contaba de la vida en la mina. De la vez en que un accidente con dinamita había despedazado a su hermano mayor en una de las galerías. De cuando uno de sus mejores amigos había sido enterrado por un derrumbe.

–Si el Tío lo quiere, así será –decía, brindando.

Tío por aquí, Tío por allá: hablaba de él como si fuera un ser real. Quizás lo fuera para Azurduy. Me contaba de lo que había charlado con el Tío por la tarde, de cómo este había cumplido con sus deseos de hacer que uno de los capataces más odiados por los mineros fuera destinado a Oruro. De cómo lo protegía de los accidentes. Y de cómo estaba seguro que algún día lo haría rico. Un demonio al que se le rezaba y que era un miembro de la familia: yo hubiera querido tener uno así.

El quemapecho me hizo vomitar muchas veces. Volví a casa borracho en varias ocasiones, a tumbarme en el camastro. Durante mis veladas con Azurduy, veía como él se transformaba, cómo les iba alzando la voz a su mujer y a sus hijos. Pero eso no era nada comparado con lo que ocurría apenas yo abandonaba la casa. Al poco rato se oía el quebrarse de objetos, el golpeteo de utensilios de metal en las paredes. Los gritos de Luisa, como si la estuvieran despellejando viva. El llanto de los niños. Era un ritual de todas las noches, que amainaba sólo cuando el estupor alcohólico de Azurduy lo dejaba inconsciente en el piso. Un par de veces me alarmé tanto que me levanté y fui a tocar la puerta. Azurduy me abría, y era otro: parecía no reconocerme, y cuando le preguntaba, tartamudeando, ¿está todo bien, puedo ayudarlos en algo?, me gritaba no te metas donde no te llaman, cahuete, gramputa, y me tiraba la puerta en mis narices. No me animaba a llamar a la policía por miedo a que luego Azurduy me quebrara los huesos.

Al día siguiente, cuando Azurduy no estaba, yo lidiaba con mi chaki con Alka-Seltzers e iba a visitar a Luisa. Charlaba con ella mientras iba de un lado a otro limpiando la casa que apestaba a alcohol. Veía moretes en sus mejillas y procuraba encarrilar la conversación hacia lo sucedido la noche anterior.

–Un ambiente de gritos y golpes no es bueno para los niños. Y menos para ti, con una wawa en camino.

Me escuchaba en silencio y luego cambiaba el tema. ¿Quería una jakalawa para el lonche? ¿Se lo veía al Manuelito?

–A mi socio le está yendo bien, estamos pudiendo ahorrar unos pesos para visitar a mis papás en Uyuni. Mi mamá bien enferma está.

Cuando hablaba de Azurduy lo hacía con admiración, como si no pudiera creer que esa fuerza de la naturaleza, ese ciclón arrollador, se hubiera fijado en ella.

–Mis hijos diferentes a su papá han salido, pero ojalá el que viene sea como él.

Recordaba las veces en que, antes de venir al distrito, me habían dicho que si veía a un indio pegar a su mujer, no me metiera, porque la mujer saldría en ese instante en defensa de su hombre y gritaría que él tenía derecho a hacer lo que quisiera con ella. Te van a arañar la cara, compadre, cuidado. No creía en esos prejuicios. Había otra explicación, más acorde con el sentido común: Azurduy intimidaba a Luisa. Le tenía miedo y prefería callar. Yo mismo, ¿acaso no evitaba acercarme a la policía por el miedo visceral que tenía a la furia de ese hombrón? Tantos años de golpes habían acostumbrado a Luisa a creer que la realidad era así y que no había escapatoria para ella.

O quizás, simplemente, amaba tanto a Azurduy que estaba dispuesta a tolerar todo con tal de no perderlo. ¿Se podía?

Lo cierto era que me iba de la casa con más preguntas que respuestas.

Entré entusiasmado al aula el primer día de clases, preparado para la clase de matemáticas, y me topé con quince chiquillos legañosos y de abarcas. Algunos carecían de cuadernos y lápices. Eran algo callados, y debía insistir para que hablaran; cuando lo hicieron, descubrí que apenas chapurreaban el castellano, que lo hablaban muy mezclado con el aymara. Y yo no entendía el aymara.

En el transcurso de la mañana, con el escudo de Bolivia y los retratos de Bolívar y Sucre en la pared a mis espaldas, fui notando que algunos de mis alumnos se dormían. Era mi culpa, pensé, mi estilo de enseñanza los aburría. Días después, la directora me explicaría la razón: algunos chiquillos vivían muy lejos y habían caminado una hora para asistir a clases. La gran mayoría no desayunaba. Se dormían de cansancio, de falta de fuerzas.

Se me ocurrió llegar a clases con una bolsa de panes. Al menos eso, me dije, exultante al ver la alegría en el rostro de mis alumnos, las ganas con que devoraban el pan. Al menos eso.

En la superficie, sobre todo cuando hablaba por radio con papá, mi idealismo se resistía a morir. Pero era cierto que antes de cumplir un mes en la escuela, este se había resquebrajado por dentro. Ya iba contando los días para que terminara mi año de provincia.

Azurduy jamás me llamaba por mi nombre. Yo era el "profesor" para él. Lo decía con respeto, incluso con admiración. Creía que yo sabía de todo excepto de cuestiones relacionadas con la mina, y me preguntaba desde las cosas más absurdas y triviales hasta las más trascendentales. Si de niño compartía la cama con mis hermanos. Si había viajado alguna vez en avión. Si vivía en una casa o en un edificio. Qué palabras del inglés sabía. ¿Conocía el Beni, había estado en Santa Cruz? ¿Había visto el mar? Tan diferentes el uno del otro, tan opuestos, quizás por eso nos llamábamos la atención. Él quería saber de mi vida, yo de la suya. A veces me preguntaba si se trataba de una broma o un desafío divinos el haber puesto a gente tan distinta para que se las arreglara para vivir en el mismo país, para desarrollar una comunidad. O quizás se trataba de un desafío del Tío.

Desde que comenzaron las clases que intentaba verme con Azurduy sólo los fines de semana. La primera semana, me dormí y llegué tarde un par de veces. Me prometí no volver a hacerlo. Un jueves por la noche la puerta de mi casa se abrió. Era Azurduy.

–Profesor, no te hagas compromiso mañana por la tarde. Voy a pasar al mediodía por la escuela, a recogerte. Es algo bien importante.

No quiso decirme de qué se trataba. Le dije bueno, te espero, y se fue.

Al día siguiente apareció puntual. Me dijo que iríamos a la mina. Los mineros terminaban su trabajo los viernes más temprano que de costumbre y luego celebraban en la misma mina la llegada del fin de semana. Los había visto bajar alcoholizados y con dinamita en la mano por la cuesta que conducía de la mina al pueblo. Era peligroso, pero no pude decir no.

Subimos en un Jeep hasta la bocamina. Tuve que comprar bolsas de coca, botellas de quemapecho, dinamita y kuyunas para regalarlas a los mineros y dejar una ofrenda a los pies del Tío. En una caseta me puse un guardatojo, una chaqueta de lona y botas. Le pagué unos pesos a un ingeniero que mascaba coca para que me dejara entrar. A lo lejos se oían explosiones de dinamita.

Dos mineros bajitos se nos unieron. Ingresamos a la mina. Los primeros cincuenta metros, la galería era amplia y podía caminar sin agacharme. La luz del día todavía nos iluminaba. Luego se hizo la oscuridad: ingresábamos a los dominios del Tío. Encendí la lámpara de carburo enganchada a mi guardatojo. Me persigné.

La galería se fue angostando. Yo seguía a Azurduy, tratando de no perderle pisada. Resbalé y me hice un raspón en la mejilla. Azurduy me levantó. A mis espaldas, los dos mineros se reían.

–Primera vez, se nota.

–Qué grave, el Tío te va a culear en el oscuro.

–¡Basta, gramputas! –gritó Azurduy. Los mineros volvieron a reírse.

Trataba de no escucharlos, de concentrarme en seguir a Azurduy. Ahora debía caminar agachado, y un polvillo molestoso se metía en mis ojos y en la boca. ¿Era eso lo que luego se acumulaba en los pulmones y causaba la muerte por silicosis?

De rato en rato Azurduy iluminaba la pared rocosa y me mostraba una veta. Su lámpara se movía para mostrarme las venas del mineral. Tanto trabajo, pensé, para una vida de perros y una muerte de perros. Un esfuerzo brutal, horadando la piedra a golpes, los músculos y los pulmones consumiéndose con prisa.

–¿Falta poco?

–¿Ya llegamos?

Debimos arrastrarnos por la tierra para atravesar una zona angosta. Sentí el polvo mineral en mis labios, mi lengua, mi garganta reseca. Para eso se necesitaba el quemapecho: un veneno mataba a otro veneno.

Estaba tenso. ¿Qué hacía allí, viajando al centro de la tierra con tres individuos cargados de alcohol y dinamita? Me prometí remediar pronto la situación, pedir mi traslado. Eso, si salía con vida de esa cueva prehistórica.

–Ya llegamos –dijo Azurduy–. Bien qewa habías sido.

Azurduy alumbró la estatua de yeso del Tío a un recodo del camino. Estaba cubierta de serpentinas y tenía una kuyuna entre los labios. Su falo era inmenso y estaba pintado de rojo vivo. A los pies de la estatua había cartuchos de dinamita y hojas de coca.

Nos sentamos en torno a la estatua. Observé sus cuernos, su rostro de ojos hundidos y desorbitados. Conque ese era el famoso Tío. Azurduy sacó una botella de quemapecho, tomó un trago y me la pasó. Bebí un sorbo y casi escupí.

Los tres se pusieron a pijchar coca. Se les hinchaban las mejillas al unísono. Me invitaron y acepté, más que nada por no desairarlos: había intentado hacerlo en casa de Azurduy y no sentí nada. Había que saber pijchar para extraer la savia de la coca y sentir sus efectos adormecedores.

Uno de los mineros comenzó a relatar una historia supuestamente real de un minero ambicioso que había hecho fortuna jukeando. El minero había jukeado tanto que dejó trabajo y familia y se fue a vivir a Oruro. Con su fortuna instaló una compañía de transportes. Le iba muy bien hasta que una mañana le comunicaron que una de sus flotas se negaba a partir. Los mecánicos habían visto el motor y estaba en buen estado. Son unos inútiles, dijo el minero, yo mismo lo voy a arreglar. Se metió bajo la flota y esta, de pronto, comenzó a moverse y lo atropelló. La flota se llamaba El Tío.

–Así es –dijo Azurduy mirando a la estatua–. Con el Tío no se juega. ¿No ve?

Hubo un silencio, como si los tres hombres esperaran a que el Tío les contestara. Yo también me sorprendí esperando. Éramos cinco quienes estábamos ahí, brindando a la salud de uno de ellos, a su larga y eterna vida.

–Profesor –dijo Azurduy de pronto–. Quiero que usted sea el padrino de mi hijo.

–Por supuesto –dije, emocionado–. Tamaño honor que me haces.

Me tranquilicé. Luisa debía estar de unos siete meses. Sería el mejor padrino del mundo. Iría ese mismo fin de semana a Oruro, a comprar ropa para la wawa. Azul y rosada, por si acaso.

Bebimos en nombre del futuro hijo de Azurduy. ¿No sería una buena oportunidad para mencionarle lo de las golpizas a Luisa? Había que pensar en la wawa. Quizás ese argumento lo convencería. No me animé. Azurduy podía tomar a mal mi intrusión.

Fue la primera vez que tomé quemapecho con ganas, a nombre de mi padrinazgo en ciernes. Apagué la lámpara y me divertí contándole chistes colorados al Tío. Me tuvieron que sacar a rastras.

Luego me enteraría que la estatua estaba a cincuenta metros de la entrada, apenas comenzaba la oscuridad. Azurduy había impedido que la viera al entrar. Y me había hecho dar una larga vuelta por las galerías de la mina.

Se acercaba el invierno. El viento amenazaba con quebrar mis orejas. Mis papás me enviaron una estufa para sobrevivir la inclemencia de las noches. Papá había escrito una nota irónica en la encomienda: "Para el hacedor de la Patria, salud. Tomate un quemapecho a nombre de este viejo que sabe que todos nacemos al borde de la tumba".

Había mañanas en que mis alumnos no llegaban a diez; no culpaba a los desertores. Las abarcas de llanta no protegían sus pies; sus ropas de tocuyo servían de poco en esa escuelita en que el frío parecía condensarse por las noches para atacarnos a nuestra llegada.

Azurduy no cambió su rutina. Usaba guantes de cuero como única protección añadida. No necesito más, el quemapecho bien me calienta, decía. Subía a la mina temprano todos los días, a veces en camión con otros mineros de rostros terrosos, otras en un Jeep con los ingenieros. Luisa estaba de siete u ocho meses y seguía trabajando todo el día, a cargo de los hijos y de la casa. ¿Cómo hacía para no caer rendida? Al menos las palizas habían cesado hacía un mes. Quizás Azurduy se había apiadado por la forma que había tomado el vientre de su mujer, redondo, enorme.

Un sábado por la noche, me fui a casa después de haber estado bebiendo con Azurduy y me dormí rápidamente. Soñaba que Azurduy y su mujer caían por un precipicio lanzando gritos desesperados. Abrí los ojos: los gritos provenían de la casa de mis vecinos; su fuerza había taladrado la barrera entre la realidad y el sueño. Maldije a Azurduy, gramputa, que te las cobre el Tío.

Tardé un par de minutos en despabilarme. De pronto, mi puerta se abrió. Era Azurduy, el rostro desencajado.

—¡Profesor, profesor! ¡Algo le pasa a mi socia!

Salí corriendo a la casa detrás de él. Encontramos a Luisa postrada en la cama. Gritaba y hacía muecas de dolor. Una comadrona estaba reclinada sobre su vientre, concentrada en su labor. Azurduy y sus hijos miraban con asombro lo que ocurría desde el borde de la cama. Había sangre en las frazadas.

Pasaron los minutos. Luisa perdió el conocimiento. Azurduy caminaba de un lado a otro; uno de sus hijos, el más pequeño, lloraba olvidado sobre una manta.

La comadrona extrajo del vientre de Luisa una masa amorfa, sanguinolenta, y la depositó en un balde a un costado de la cama.

–Está muerto –sentenció–. Ella se salvará.

Azurduy estuvo a punto de golpear a la comadrona. Se agachó y sacó al feto del balde; lo envolvió en una manta y me buscó con la mirada.

–Profesor, acompáñeme.

Me pidió que agarrara una pala y una picota apoyadas en una pared y salimos de la casa. El frío me cortó el rostro. Azurduy avanzaba a paso firme y apresurado. Eran las dos de la mañana.

Caminamos sin hablar; en esas calles vacías sólo se escuchaba nuestro resuello ansioso y el golpeteo de las botas de Azurduy. Entramos por una calle hacia la derecha, subimos por una colina e ingresamos al cementerio. Azurduy se abrió paso entre las cruces de madera que salpicaban el lugar y se detuvo bajo un molle. Yo lo seguía guiado por su silueta movediza.

Se puso a cavar. Sostuve entre mis manos la manta con el feto adentro. Me dieron ganas de abrirla, de ver si era cierto que entre sus pliegues de tocuyo se encontraba alguien que pudo haber sido algún día un niño inquieto correteando con las ovejas, un adolescente de ojos enormes buscando la forma de escapar al destino que había atenazado a sus papás en torno a la mina. Un estremecimiento me remeció. Quise desahogarme, decirle que sólo había un responsable de todo esto.

–Damelo a mi hijo –gritó cuando el hueco estuvo listo.

Fue abriendo la manta hasta encontrarse con el feto. Le dio un beso, lo envolvió nuevamente y lo depositó con cuidado en el hueco. Lo tapó con paladas rápidas y se sentó en el suelo. Me fijé en sus espaldas enormes y sus manazas. Escuché que susurraba el nombre del Tío; me persigné. Extrajo una botella de quemapecho de uno de los bolsillos interiores de su chaqueta. Cuando me la pasó, bebí sin quejarme.

Azurduy se puso a hablar con el Tío en un tono informal y susurrante, como si el Tío se encontrara junto a la tumba de su hijo que no había sido.

–Acepto tu voluntad, pero por favor no me vuelvas a castigar de esta manera.

Azurduy movió la cabeza como si hubiera escuchado una respuesta.

–Soy un cahuete gramputa. Pero también un buen hombre. Bien trabajador. Querendón de mi socia, de mis hijos.

Volvió a mover la cabeza, asintiendo. Hice lo mismo.

–Gracias por salvarla a mi socia. Porque vas a salvarla, ¿no?

Se quedó en silencio, como esperando la respuesta del Tío. Silbó el viento, un murmullo serpenteante, y yo sentí como si en esa oscuridad algo, alguien estuviera tratando de formar palabras, pronunciarlas. Azurduy no había notado nada. Entendí que el Tío me quería decir algo. Hubo terror y temblor en mi corazón.

–Sí, por favor –dije de improviso–. Ya se la has cobrado bien cobrada, ya no más por favor.

–Ya, ya, ya, qué te pa…

–Callate gramputa –mi tono era firme y no admitía respuestas. Me hinqué sobre la tierra recién excavada y encomendé su wawa al Tío, y le pedí por Luisa, por él y por sus hijos.

Azurduy seguía con los ojos bien abiertos y yo no podía callarme. Junté mis manos y miré al cielo, como me habían enseñado a rezar los curas salesianos en Cochabamba, y le pedí al Tío que nos permitiera terminar el año en paz. Era cierto que nacíamos al borde de la tumba. No era menos cierto que había múltiples destinos posibles y en uno de ellos uno no moría antes de nacer, no moría niño, no moría joven con cara de viejo, moría de causas naturales, en la paz del sueño, entregado a uno de esos otros mundos que habitan en nuestro interior. Le pedí al Tío que nos concediera ese destino.

Amanecía cuando volvimos a la casa.

Srebrenica

A la memoria de Elizabeth Neuffer

La casa en la que nos alojaríamos las cuatro chicas que llegamos a Bosnia de voluntarias –todas estudiantes de doctorados en antropología– se encontraba en Tuzla, una ciudad a la que se habían venido a refugiar las mujeres y los niños de Srebrenica después de que cayera en manos enemigas un año atrás; casi ocho mil hombres, bosnios musulmanes ellos, se quedaron prisioneros de los serbo-bosnios en Srebrenica. Luego se los llevaron en camiones a las afueras de la ciudad, con las manos atadas y los ojos vendados; a algunos los fusilaron en descampados apenas bajaron de los camiones; a otros los despacharon con un balazo en la nuca, y hubo a quienes se les ordenó correr y luego se los cazó como animales.

La casa estaba cerca de una iglesia abandonada y un bosque de pinos. Era vieja y tenía las ventanas rotas. El piso de mosaicos estaba lleno de desperdicios y había hormigas y grillos en la cocina. La taza del baño había perdido su asiento y había que traer agua en baldes para largar la cadena. La ducha era fría. No había televisor, pero sí una radio en la que se podía captar la programación internacional de la BBC. Había tres habitaciones y a mí me tocó compartir la mía con Debbie, una rubia agraciada, bajita y de pelo corto, que venía de Stanford. Las camas apenas tenían una sábana y un cobertor liviano; nos haría frío en las noches.

Después de comer un arroz con huevos preparado por Emilia –una chilena que estudiaba en Emory–, fuimos a nuestros cuartos. Debbie se echó en la cama y se puso a escuchar música en su *walkman*, los ojos abiertos pero ausentes. Su colección de compacts en el velador decía: Ella Fitzgerald, Billie Holliday, Melissa Etheridge. Yo quería hablar de Marcos, mi ex-novio, una de las razones principales por las que me encontraba aquí. Habíamos estado juntos durante siete meses. Desde el principio me encantó Marcos, un argentino que estudiaba el doctorado en antropología. Él era guapo, su mirada penetrante y su labia atraían a las mujeres, pero yo prefería reprimir esas sospechas. Suponía que se había acostado con muchas mujeres esos meses, hasta que llegó una que le dijo que debía decidir entre ella o yo. Y Marcos decidió. Quería hablar con las chicas acerca de él, pero no me quedó más que continuar con *Balkan Ghosts*, el libro que había comenzado a leer en el viaje en avión y que me estaba ayudando a comprender los odios ancestrales en la región.

Lo primero que me sorprendió de la fosa común de Cerska fue el punzante olor a amoníaco. Los cadáveres estaban amontonados unos sobre otros, en diversos estados de descomposición, algunos completos y otros no tanto: una pierna por aquí, un brazo por acá. A veces sólo se veían huesos (tibias, fémures); otras, los huesos estaban adheridos a la carne o formaban una masa pegajosa con la tierra. Había camisas deshilachadas, zapatos de tenis, *jeans* Levi's. Pude observar, sobre un cráneo desenterrado a medias bajo el sol violento de la mañana, una gorra azul de béisbol con el logo de Nike a los costados.

Traté de olvidarme del montón y me dediqué a imaginar el rostro de mejillas huesudas del hombre que algún día había usado esa gorra azul. Quizás la había comprado de un vendedor callejero, un sábado por la mañana de un verano como este; quizás lo acompañaba su novia. Eran felices a pesar de la guerra; estaban juntos y sólo eso importaba. Fueron a pasear por un parque y a soñar con el día en que la guerra acabaría y volvería la normalidad al país. O a los países, pues uno nunca sabía en los Balcanes.

Bertrand, mi profesor de antropología en Cornell y el líder de la excavación, se puso guantes de goma y saltó a la fosa y se unió a dos antropólogos mexicanos que extraían con cuidado la tierra y las raíces adheridas a los huesos de un cadáver. Los huesos de cada cadáver eran puestos en una bolsa blanca a la que luego se la identificaba con un número rojo. Mi trabajo consistiría en meter a una computadora los datos de cada cadáver.

Esa noche, recostada sobre un sofá de resortes vencidos, Emilia no paraba de sollozar y de preguntarse qué diablos hacía aquí y de responderse de inmediato que todo tenía un sentido, incluso lo que no tenía sentido. Amber se duchó dos veces para sacar de su cuerpo todo el olor que se le había impregnado de la fosa común.

Me acosté temprano, agotada. Había logrado conciliar el sueño cuando algo me despertó; pude distinguir el rostro de Debbie en la penumbra. Su polera le llegaba hasta las rodillas.

–¿Puedo dormir contigo? –preguntó.

Me pareció un pedido normal en esas circunstancias; dejé que entrara en mi cama y le di la espalda. Me abrazó, sus pechos apretados contra mi espalda; una de sus manos descansó en mi estómago. Usaba una crema para dormir con olor a cítricos; era un aroma fragante que impregnó mi cuerpo.

La sentí llorar en silencio.

Alrededor de noventa personas trabajaban en la fosa común de Cerska, entre ellos antropólogos, patólogos y arqueólogos. Nos custodiaban soldados de la OTAN apostados en camiones y en Humvees (después de todo, nos encontrábamos en territorio controlado por los serbios). Había actividad por todas partes: un grupo caminaba de un lado a otro, con un detector de metales en busca de residuos de balas; otros trabajaban con una excavadora, removiendo cuidadosamente la tierra y deteniéndose apenas había señales de un cuerpo; se revisaba la tierra removida en busca de fragmentos de huesos; se fotografiaba cada cuerpo para que los investigadores pudieran saber luego su posición exacta en la fosa. Debbie estaba en el grupo de fotógrafas, Birkenstocks y una polera blanca; no llevaba sostén. Más de un hombre la miraba de reojo.

Bertrand, con un cigarrillo entre los labios, dirigía todo de forma obsesiva. Había ordenado que los cuerpos no fueran movidos del lugar donde habían sido encontrados hasta que él llegara; sólo con él al lado se podían poner los cuerpos en las bolsas. Él entonces dictaba notas sobre los huesos y las pertenencias de cada cadáver en una grabadora. Me iba dando los casetes con las notas, y yo las pasaba a una computadora.

–Lindo lugar –decía Bertrand–. Fácil de entender por qué lo escogieron.

Nos hallábamos en un terraplén al lado –y a cincuenta metros abajo– de un camino de tierra, formando un hueco ideal para una fosa común. Los prisioneros habían sido ejecutados al borde del camino y sus cuerpos habían caído sobre el terraplén. Luego se había procedido a rellenar parte del hueco.

–No estoy aquí ni un día y ya me quiero ir –dije–. ¿No se cansa?

–Mi mujer es la que se cansa –Bertrand me mostró un cadáver con las muñecas amarradas por un cable–. Yo no. De la muerte no. Lo que de verdad me cansa son todos los detalles que hay que cuidar para que esto funcione. Con algunos del equipo hemos decidido turnarnos y quedarnos a dormir aquí. Como los soldados de la OTAN están obligados a proteger al equipo, no tendrán otra que quedarse con nosotros por las noches.

Imaginé a Bertrand durmiendo en el Land Rover bajo el manto de estrellas de la noche de verano. Luego me vi obligada a imaginar la fosa común a su lado. Con Bertrand de por medio, esas dos imágenes juntas no tenían nada de incongruente.

Esa noche Debbie volvió a dormir conmigo. No lloró esta vez, y tampoco pronunció palabra alguna. Yo tenía ganas de charlar, pero no quería romper ese silencio. Me reconfortaba y protegía su cuerpo apoyado contra el mío. Era dócil y blando, como si careciera de huesos.

Me hubiera gustado sentir más piel que la de su mano tibia en mi estómago. Me recordaba a los *pijama parties* de mis doce años, cuando nos reuníamos en la casa de una amiga en Lawrence y varias niñas, eufóricas de tanto ponche y tanta charla, terminábamos durmiendo tiradas en los colchones instalados en el living, la pierna de una sobre la barriga de otra, las manos entrelazadas, en una inocente camaradería. Luego me enteré que algunos de esos encuentros entre piel y piel no eran tan inocentes como parecían, pero en el recuerdo quedaban como yo los había vivido.

El martes un grupo de mujeres visitó nuestra casa. Eran bosnio-musulmanas, refugiadas en Tuzla después de la caída de Srebrenica. Se habían enterado de que pertenecíamos al grupo a cargo de las exhumaciones en Cerska, y venían a buscar información sobre sus esposos, hijos, amantes. Nos rodearon cuando salimos a la puerta; las hicimos pasar. En un inglés muy precario, nos dijeron que en una reunión con comisionados de las Naciones Unidas se les había prometido que podrían estar al lado de las fosas comunes cuando las exhumaciones se llevaran a cabo, para ayudar en el proceso de identificación. Recordé una clase de Bertrand en la que nos había contado que las exhumaciones de El Mozote se habían hecho con las mujeres presentes.

–No les podemos prometer nada –dijo Debbie–. Somos unas simples voluntarias, pero llevaremos su queja a los encargados.

Sdenka, una mujer alta y de pelo negro rizado, comenzó a describir la forma en que su hijo estaba vestido la última vez que lo había visto: *jeans*, polera blanca, gorra azul.

–¿De Nike? –pregunté, sintiéndome algo tonta.

–No lo recuerdo –Sdenka me agarró con fuerza de la polera–. Pero tenía una cicatriz en su rodilla derecha. Jugaba mucho al fútbol. Y sus dientes eran perfectos. ¿Lo ha visto?

Negué con la cabeza. Otra mujer comenzó a describir a su esposo –chamarra de cuero, cinturón negro, nariz rota–, hasta que la letanía de detalles se tornó confusa.

Me sentí como una arqueóloga del presente, tratando de armar los rompecabezas de cuerpos similares a los nuestros, un ejército de jóvenes y no tan jóvenes usando Nike y Adidas y Reebok y Levi's, esas marcas que de tan ubicuas terminaban confundiéndose con el paisaje, invisibles hasta que una fosa común les devolvía su poderosa presencia.

Las mujeres no se fueron hasta que Emilia les prometió que haríamos todo lo posible por ayudarlas a identificar a sus muertos. Cada una de ellas escribió una lista de las señas particulares y la ropa que llevaban la última vez que los habían visto. Entendí un poco más la dedicación de Bertrand a su trabajo y el sentido de nuestra presencia en Cerska.

Al llegar a mi habitación, me miré en un espejo de bolsillo que tenía en la maleta; la carne desaparecía y me quedaba contemplando mi esqueleto: el cráneo, la clavícula, un omóplato. El destino de todos, en el fondo, era una fosa común: todos nuestros cuerpos se irían entremezclando bajo la tierra, corroídos por el tiempo y los gusanos, huesos que se tornan en fragmentos de huesos, pieles que se hacen polvo. Pero a esa fosa se debía llegar por la natural corrupción de la carne o por un accidente o una enfermedad imprevista, y no gracias al implacable trabajo de otros hombres.

El día en que cumplimos una semana de trabajo en Cerska, Amber decidió volver a Estados Unidos. Dijo que le interesaban otros aspectos de la antropología y que se había equivocado al venir. Bertrand intentó convencerla de que se quedara, sin éxito. La ayudé a hacer sus maletas.

La frustración se reflejaba en la cara de Bertrand. Amber era parte prescindible del equipo; sin embargo, Bertrand actuaba como si la exhumación no pudiera continuar sin ella. Era un rasgo de su obsesión: le costaba entender que otros no vieran el lado sublime de su entrega. Me pregunté qué podía llevar a un ser humano a escoger semejante causa. ¿Qué rayo lo había iluminado para seguir un camino tan poco común? ¿Uno nacía para eso, o se hacía, iba cayendo en ello sin darse cuenta? Y yo debía reconocer que no estaba lejos de ese magnetismo inexplicable con que una vocación nos seduce. Había decidido estudiar antropología después de ver a Sigourney Weaver en *Gorilas en la niebla*. Después de obtener el BA pensé en el doctorado; no me convencía del todo, pero tampoco me molestaba continuar estudiando antropología. No había tenido la suerte de ser marcada a fuego por una vocación, pero al menos no tenía otros intereses. Y después apareció Bertrand y poco a poco yo también quería hacer que los huesos hablaran y me dijeran a quiénes pertenecían y cómo fue que habían dejado de ser en este mundo.

Esa noche, Debbie, Emilia y yo nos acabamos dos botellas de un vino barato y, entre risas y sollozos –o sollozos risueños–, nos contamos de nuestros amores: Emilia se casaría en diciembre con Dino, un italiano que estudiaba negocios en su universidad y al que le era infiel con cierta regularidad; Debbie salía, sin compromisos, con Elka, una noruega que jugaba *lacrosse* en Stanford y a la que le llevaba casi diez años; y yo, yo acababa de terminar con Marcos. Brindamos a la salud de las mujeres.

Cuando fuimos al cuarto y nos echamos en mi cama, la mano de Debbie se posó sobre mi estómago y lentamente fue avanzando hasta tocar mis pechos. Mis pezones se pusieron rígidos. La dejé hacer. Al rato, sentí que me levantaba el camisón y que su lengua recorría mi espalda. Luego sus manos y su lengua fueron por otros rumbos, y no dije nada. Me gustaba ese contacto suave, a la vez disimulado y explícito. Su piel carecía de las rugosidades a las que estaba acostumbrada en el contacto con otras pieles.

–¿Tu primera vez?

Le dije que sí, aunque hubiera querido mentirle. Me pidió que no sólo me dejara hacer, que tuviera un rol más activo. Me costó soltarme. Igual, creo que las dos disfrutamos. Tuvimos que cerrar la puerta para que Emilia no escuchara los crujidos de la cama.

Debbie se durmió con la cabeza entre mis pechos. Y yo me dormí mientras acariciaba sus cabellos rubios, su cerquillo Príncipe Valiente.

La alarma nos despertó temprano. Nos recogían a las siete y media. Había pasado el efecto del alcohol y aun así me sentía bien. En el Jeep, incluso dejé que Debbie me agarrara de la mano mientras nadie nos veía.

Los investigadores todavía no habían llegado al cráneo con la gorra azul de Nike. Se me ocurrió que si las refugiadas de Srebrenica no podían venir a Cerska, yo les podía llevar algo de Cerska. Aprovecharía un descuido y me llevaría el gorro a Tuzla, para mostrárselo a Sdenka. Sería el que pertenecía a su hijo, eso la ayudaría a cicatrizar esa herida que no la dejaba dormir.

Debía desbaratar esos pensamientos, por más bien intencionados que fueran. No estaba pensando como una aprendiz de científica sino como una vulgar ladrona.

Al final me contenté con prestarme la Canon de Debbie y pedirle permiso a Bertrand para sacarle fotos a la gorra. Saqué diecisiete.

Le conté a Debbie de Marcos. Estábamos en su cama, más angosta pero menos ruidosa que la mía. Del cuarto de Emilia provenían las voces de la BBC, apenas discernibles en medio del fragor de la estática. Debbie apoyó su cabeza en mi pecho y dijo:

–Parece un imbécil. No entiendo qué le has visto.

–Yo tampoco, pero así funciona el amor, ¿no?

–Así que todavía lo quieres.

–No sé. A veces lo extraño.

–Nunca me atrajeron los hombres. Son tan brutos, tan primitivos.

–Hay de todo.

–Seguro, pero, ¿te imaginas a mujeres como responsables de llenar de muertos estas fosas?

Ninguna pudo convencer a la otra. Terminamos la discusión haciendo el amor frenéticamente.

Cuerpo treinta y nueve: un cráneo con una perforación de bala a la altura de la nuca, una gorra azul con el logo de Nike a los costados.

Cumplimos diez días de trabajo y ya se habían llegado a exhumar cien cuerpos, más de los que se esperaba que hubiera en la fosa común de Cerska. La prensa internacional se interesó, y el gobierno serbobosnio, que hasta el momento había guardado silencio, se preocupó. Los cráneos destrozados por las balas y las muñecas amarradas con cables eran señales claras de que aquellos hombres no habían muerto en medio de una batalla, como decía el gobierno, sino ejecutados a sangre fría.

Faltaba poco para finalizar la exhumación y me sorprendí diciéndome que no quería que terminara. Decidí que después de Cerska acompañaría a Bertrand a exhumar la fosa común de Nova Kasaba, a pesar de que Debbie regresaría a los Estados Unidos y a Elka.

Las mujeres volvieron a visitarnos. No teníamos mucho para ofrecerles. Le mostré mis fotos de la gorra a Sdenka. Vi la desilusión en el rostro, y no supe si era porque no sabía si se trataba de la gorra de su hijo o si se debía a que yo no le había traído la verdadera gorra para quedarse con ella. Debía haberle pedido, primero, que me describiera la gorra en detalle, y luego debía haber hecho lo imposible por encontrar un pedazo de realidad que estuviera de acuerdo con su descripción. Podía incluso haberle pedido a Marcos que me enviara por Federal Express una gorra como la que rememoraba la mujer, y luego podía haberla fotografiado, o mejor, podía haberla desgarrado y cubierto de tierra en la fosa de Cerska, y luego presentársela como si fuera la que ella buscaba. El deseo de aferrarse a una certidumbre, por más remota que fuera, hubiera hecho el resto.

La exhumación de Cerska concluyó el 19 de julio, doce días después de iniciada. Alrededor de ciento cincuenta cuerpos y fragmentos de cuerpos se hallaban en bolsas en el camión refrigerador que las llevaría a la morgue en Kalesija, para que los patólogos forenses pudieran continuar la investigación. Bertrand, ojeroso y con las ropas sucias y olor a tabaco en el cuerpo –había llegado a fumar dos cajetillas al día–, estaba satisfecho, pero eso no lo hacía detenerse: ya había iniciado los preparativos para la exhumación de Nova Kasaba. Nos pidió a Emilia y a mí que nos alistáramos, partíamos al día siguiente.

No hubo mucho tiempo para mi despedida con Debbie, sólo esa noche. Mejor así.

–Te extrañaré –le dije mientras acariciaba sus mejillas, tan delicadas que quizás con un poco de presión de mis manos se romperían en mil pedazos–. Prometo escribir. Quizás algún día te sorprenda visitándote en Palo Alto.

Se quedó callada un buen rato. Luego dijo:

–Todo esto fue especial, pero por favor, no me escribas… Quizás incluso sea mejor que no trates de contactarme.

Asentí. La entendía.

–Nunca olvidaré tu olor –jugué con su pelo–. Tampoco tu cerquillo.

–Espero que tampoco olvides otras cosas de mí –dijo, la mirada pícara. Nos besamos.

¿Puede uno, en este trabajo, perder la sorpresa, desensibilizarse, entrar a la rutina? La fosa de Nova Kasaba era la segunda que visitaba. El olor a amoníaco, los huesos desparramados, las prendas de ropa adheridas a la carne: todo era familiar y a la vez sorprendente hasta la conmoción. Sospechaba que yo nunca dejaría de sorprenderme.

Esa tarde extrañé a Marcos y lo llamé de una cabina telefónica. Apenas contestó, me di cuenta de que esa no era la voz que quería escuchar.

Artificial

El día en que a mamá la declararon artificial llovió toda la mañana y Randal y yo nos miramos sin saber bien qué hacer. No había sido lo esperado, después de gestiones de semanas en la Oficina de Reclasificación, complicadas porque tuvimos que hacerlas los dos solos ya que papá, el muy tembleque, huyó al enterarse nel hospital después de la primera operación que las heridas eran tan severas que con toda probabilidad mamá iba camino a convertirse en artificial. Lo habíamos intentado por todos los medios, largas colas desde la madrugada pa entrar a ese edificio atestado de gente en los pasillos y sin un buen sistema de ventilación, las ventanas tan pequeñas que uno se sentía en zona de guerra. Mañanas y tardes que no conducían a nada, porque se caía el sistema o lo estaban actualizando y nos pedían volver al día siguiente. Veíamos en las caras el drama por venir o el ya concluido, la esperanza o el dolor o la esperanza y el dolor cuando un hermano o esposo era declarado artificial o quizás no. Un melodrama continuo y agobiante del cual no podíamos ni queríamos escaparnos.

Cuando nos tocó la última parte del trámite, nuna oficina en la que una mujer muy maquillada escribía sin mirarnos rodeada de cuadros de pájaros silvestres dibujados con precisión hiperrealista, Randal y yo, humildes, solícitos, le presentamos los documentos que mostraban lo buena y dedicada que había sido mamá con la raza, una humanita ejemplar, siempre de buen humor, con palabras de aliento pa los demás. Una militar típica no, había organizado un club de lectura nel barrio, jugaba fut21 con los niños. Una heroína de guerra tu, eso debía contar p'algo. Aquella vez que la enviaron al puesto de observación en Malhado salvó a su patrulla de la muerte, se dio cuenta de la emboscada que preparaban los hombres de Orlewen y en vez de avisar a los demás se puso ella sola a combatir. Mala suerte que un mes después, de regreso a la ciudad, a las puertas del mercado, ella hubiera querido ayudar a la anciana tirada en la calle que aparentaba ser víctima dun infarto. De cuclillas junto a la anciana, dictaminó que no había peligro, y otros miembros de su unidad se acercaron confiados. La bomba que la anciana tenía pegada nel bodi explotó nese momento, hubo cuatro soldados muertos, y mamá quedó tan maltrecha que sus hijos debíamos esforzarnos pa salvarla dun destino de artificial.

Esa mañana la mujer que nos atendió en la Oficina de Reclasificación y nos comunicó la decisión final dijo que habíamos actuado de acuerdo a las reglas, el archivo con todos los documentos había sido leído y discutido por los miembros del comité. Mencionó que al comité le llamó la atención que a su edad ella hubiera estado de patrulla. Conté que la enviaron durante un tiempo a hacer trabajo de oficina mas ella misma pidió su cambio porq'extrañaba sus días patrullando por la ciudad, sacrificándose por defendernos. Intensa, dijo ella, desdén en la voz. No sé por qué se quejan, le va a encantar ser artificial. Insistimos en que podíamos traer testigos pa q'ellos se reunieran con el comité y los convencieran de no hacer lo que pensaban. La mujer nos miró ya lista pa pasar a otro tema. No entendía tanta pelea por seguir considerando humana a mamá. Ser artificial podía y debía considerarse un ascenso, ellos tenían muchas más ventajas que los humanos, eran más eficientes y se les daban los mejores trabajos. Inyecciones de hormonas constantes los tenían nun excelente estado físico, y su memoria, ah su memoria, era purgada de traumas que podían afectar a su buen desenvolvimiento futuro. Vean lo obvio, plis. Cuestión de encender los noticieros, observar quiénes realmente están a cargo.

Una cosa son los artificiales nacidos así, dijo mi hermano, y otra los humanos reclasificados en artificiales. No se trata de mejor o peor sino de ser lo que uno ha sido siempre.

Los artificiales tienen humanidad tu, dijo ella, de dó el estigma.

Son otra categoría, dije, pa qué ser ellos si mamá está bien siendo nos.

Si hubiera una guerra entre humanos y artificiales, dijo Randal, mamá estaría del lado de ellos, y eso no lo podría aceptar.

La mujer nos mostró su brazo mutante y dijo q'ella era 12% artificial y a veces soñaba con cortarse el otro brazo o quizás incluso dañarse un pulmón pa que le pongan otro sintético, o tirarse ácido a los ojos pa que su porcentaje de artificial subiera y, quién sabía, fuera reclasificada. Muchos habían hecho esas cosas, nos sorprenderíamos. Basta d'exageraciones, dijo, no habrá guerra, no ven que trabajamos juntos, todos queremos lo mejor pa la región.

De modo que nos fuimos derrotados, y luego jugamos piedra papel tijera pa ver quién se lo comunicaba a mamá.

La habitación nel hospital no era de las mejores mas tampoco se podía culpar a nadie, habían sido meses de convalecencia y al comienzo le tocó una amplia y luminosa mas luego se debía dejar espacio a los nuevos heridos y así terminó neste rincón ófrico cerca de las salas de fisioterapia. Cuando llegamos a buscarla los enfermeros ya habían preparado su bolsón y estaba lista pa irse. Curioso verla, todavía no me acostumbraba. Los doctores habían hecho un trabajo admirable de reconstrucción. Ese rostro quemado, ese pecho cruzado por vidrios y metales, esas piernas desaparecidas, habían sido reemplazadas de la mejor manera posible, de modo que ahí estaba un ser que se parecía mucho a mamá mas no era ella del todo.

Se levantó de la cama. Sus pasos firmes y enérgicos de antes habían dejado lugar a unos vacilantes, de modo que llegamos primero donde ella estaba y la abrazamos.

Nos miró buscando un asomo de esperanza en nuestros gestos, que no hubo, y un ojo rígido me recordó en qué lado de su bodi la bomba la había estragado. Preguntó por papá y hubo palabras que no se acordaba y otras que le salían guturales y no entendíamos. Recordé frases del informe del comité de Reclasificación. Si no hubiera habido daño neurológico, decía, la reconstrucción habría arrojado un 34% de artificialidad según los algoritmos, con lo que mamá hubiera seguido siendo humana. Mas la explosión quemó partes del cerebro, su memoria de larga duración fue afectada y su forma de procesar el lenguaje y comunicarse tu, con lo que los reajustes numéricos elevaron la artificialidad al 48.7%. Mamá podía ser tanto humana como artificial. En casos como estos, tan cercanos al punto intermedio entre ambos destinos, el comité podía tener potestad pa' ajustar los números, y después de días de debates se decidió que, como la memoria iría empeorando con los años, era mejor clasificarla de una vez como artificial. Nos quejamos, hablamos con los abogados, dijimos que podíamos aceptar el resultado científico mas no una decisión final en la que las impresiones personales del comité introducían un elevado grado de arbitrariedad nel destino de mamá. Otro comité podía haber llegado a otras conclusiones, decidido q'ella era nomás humana. Sólo un abogado nos dio esperanzas. Pidió que lo buscáramos cuando saliera del hospital. Iría a los medios, armaría un escándalo. Mamá todavía podía ser humana. Yo la veía nel hospital y ya nostaba muy segura.

Mamá preguntó por papá nel viaje en auto a casa, bajo una lluvia pertinaz que anegaba las calles. Randal le dijo que no había noticias. Movió la cabeza como si no creyera que él hubiera sido tan desalmado como pa dejarla, huir de la ciudad con ella todavía nuna sala de operaciones. Un gesto humano, de debilidad, ese movimiento de cabeza, me dije, mas qué sabía. Quizás eso estaba programado, quizás, como nos habían dicho, fuera imposible que mamá en su versión artificial se traumara ante la partida de papá. Debía informarme más.

Mi rabia se dirigió a papá, desaparecido sin dejar siquiera una nota. Dóstaría. El destino lo encontraría y le haría pagar su incapacidad pa estar a la altura de la situación. Mamá recordó a Pendiente, qué Pendiente, un gato con el que jugaba de niña cazando libélulas nel jardín, dijo, y a Panchito, qué Panchito, Randal y yo nos miramos, un loro hablador que podía insultar en tres idiomas, dijo. Recordó a sus padres, los abuelos que no conocí, tan dedicados al trabajo q'ella apenas los veía los fines de semana. Se había criado con una nana, Nancy, que le hablaba del demonio como si fuera un amigo de todos los días. No fue de las que se vino por falta de oportunidades en su vida sino por la promesa de aventura. Algunos iban a monasterios budistas a los pies del Himalaya, otros a comunidades que vivían en equilibrio con la naturaleza nel Amazonas, ella y sus amigos se vinieron aquí. Tiempos hermosos en que tanto desajuste nos hacía buscar nuevos horizontes, dijo, emocionada, alejarnos de lo conocido, reinventarnos. En que explorar nos hacía ser lo que éramos.

Si lo ves desde esa perspectiva, dijo Randal desempañando con la mano la ventana, den nau podrías explorar tu nuevo ser tu. Eso sería lindo.

Es diferente, dijo ella. Ser artificial no te convierte notra forma de ser humano. Eres otra cosa, estás notro bando.

No es así, dije, recordando las palabras de la mujer, ellos y nos luchamos juntos, somos del mismo bando.

Querrás decir ustedes y yo, dijo mamá.

Nos y ustedes, corregí, y me sonó raro. Tú siempre serás una de nos, no importa lo que diga un comité.

Me detuve ante un semáforo rojo. Ella lagrimeaba. No era del todo una artificial, pensé, no todavía, el trauma la seguía golpeando, mas el médico dijo que con el tiempo eso cambiaría. Mencionó nuevamente a Panchito y a Pendiente, quería afirmarse en las cosas que la habían hecho humana, las que le decían mejor que otras q'ella era ella y no lo que decía un comité. El semáforo cambió a verde y sentí que algo funcionaba mal. Mamá nunca antes había mencionado a Panchito y a Pendiente, y tampoco a esa nana Nancy que según ella le hablaba del demonio en la infancia. O quizás era que algo funcionaba bien. Sí, por supuesto. Le habían reconstruido la memoria tu.

Lo bueno de todo esto es que sólo los íntimos lo sabrán, dije esa noche en su cuarto mientras le llevaba la cena, y quise creer en esa frase, eso era lo que yo quería, no era mi intención que nel trabajo me vieran como hija de, de quién, de qué, ya no sabía. Un cuarto muy grande, nau que papá se había ido. Ella estaba en la cama y trató de tomar la sopa sin ayuda mas le costaba, debía hacer tres horas de fisioterapia al día, sería un largo período de recuperación. Sí, sólo los íntimos, dije, no hay un letrero en tu frente que diga q'eres una artificial. Quise sonar optimista: de hecho si se enteran tendrás mejores oportunidades de trabajo. No es necesario ningún letrero, dijo mamá, pa que todos sepan lo que yo sé. Repitió la frase porque hasta ella misma dudaba de que la entendiéramos. Su voz sonaba gruesa, impostada. Es una cuestión intuitiva, dijo. Algunos oficiales me han engañado nel Perímetro, en algunos casos he dudado, mas en general sé quién es y quién no. No comenté nada mas sabía q'ella estaba en lo cierto, quizás décadas de convivencia con las máquinas nos habían creado un sexto sentido, incluso cuando comenzaron a parecerse a nos físicamente algo siempre las delataba. O quizás no y eran mis supersticiones, lo que quería creer.

Me quedé en silencio acompañándola mientras cenaba, un poco incómoda, observándola manejar sus manos con torpeza, sorprendiéndome al ver cuán difícil era, por el momento, una rutina diaria. El doctor dijo que nun par de meses volvería a la normalidad. A una nueva normalidad, en todo caso.

Esa noche no pude dormir. A las tres de la mañana encendí la lámpara del velador y cayó sobre mí toda la inmensidad de lo ocurrido. Era como si mi corazón se hubiera detenido por unos minutos, angustiado.

Caminé por los pasillos de la casa tratando de no hacer ruido pa no despertar a Randal y me pregunté qué sería de papá e intenté comprenderlo. Era difícil pa todos.

Me acerqué a la puerta entreabierta del cuarto de mamá. Estaba dormida o al menos eso parecía. Di tres pasos dentro de la habitación, como p'acercarme a abrazarla, y me detuve, preguntándome si hacía lo correcto. A través de la ventana se oía el rumoroso chillido de los grillos. Recordé una excursión al bosque de pinos negros en las afueras, a los siete años, con papá y mamá y Randal. Estaba segura de q'eso no me lo inventaba.

Volví a avanzar hasta ponerme al lado de su cama. Ningún movimiento de parte suya, ella que solía tener el sueño ligero. Quizás era el cansancio de los últimos días o los analgésicos. O quizás no.

Sí, eso era.

No podía abrazarla.

Quizás era tiempo, pa mí tu, de preparar la huida.

Temblor-del-cielo

A João Guimarães Rosa, que conoció a la niña de allá

La niña comenzó a hablar poco después de que su padre se fuera de la casa para unirse a la rebelión de Orlewen. Se llamaba Rosa y era pequeña y de ojos enormes, la cabeza tan grande que alguna vez su madre había sugerido, preocupada, que quizás fuera hidrocefálica. El padre, esa noche, le dijo que no exagerara, los niños eran así, algunas partes se desarrollaban antes que otras, todo era desajuste y desencuentro. La madre volvió a la carga, insistiendo en que no era normal que ella hubiera cumplido cuatro años sin llorar nunca y mucho menos pronunciar una palabra que se pudiera entender. Esos silencios le roían el alma. Ella misma había sido una llorona, en uno de sus primeros recuerdos estaba en la parte trasera del rikshö de su abuelo, él dando vueltas a la plaza del distrito para ver si ella se calmaba después de dos horas de llanto ininterrumpido. Además la enloquecía esa costumbre de Rosa de irse a una esquina de la sala principal y quedarse ahí sentadita, jugando con una muñeca de trapo o viendo las paredes, extrañada, como si estas respiraran. Ni los juegos de su hermana mayor la distraían de su ensimismamiento. El padre, pequeño granjero, le dijo que a él también le pasaba algo así, cualquier insecto u objeto que veía con detenimiento en la propiedad se ponía a latir, sobre todo las calabazas que cultivaba con tanta dedicación, era un efecto de las cosas o de la mirada o quizás del encuentro de las cosas con la mirada. En cuanto al silencio, sólo era cuestión de tiempo, se saltaría la etapa de los balbuceos y cuando hablara lo haría en frases complejas. La madre no se desprendió del rosario mientras hablaban. No lo convencería de llevar a Rosa al médico. Era parte de su fe y ella lo había aceptado así. Con el tiempo, hasta se había convencido de que era lo correcto. La naturaleza del mundo: buscar soluciones sin artificio. Desatino todo lo demás.

Vivían en las afueras de Nova Isa, en un distrito conocido como Temblor-del-Cielo. Los vecinos los respetaban por su capacidad para el trabajo, pero no se metían con ellos porque eran una familia kreol diferente. Juntaban, ecuménicos, a Dios con Xlött, y llevaban a cabo, tres veces por semana, ceremonias nocturnas con cánticos y jün. Al distrito habían llegado noticias del levantamiento de Orlewen, y si bien algunos creían en el Advenimiento, era más fuerte el miedo a las represalias de los pieloscura. Poco después se supo que el granjero convocó a una reunión secreta en la que proclamó que había llegado el tiempo del mundo dándose vuelta. Los shanz visitaron la casa y los interrogaron. El granjero negó a Orlewen una y otra vez. Al día siguiente desapareció, dejando solas a la madre y a sus hijas. Decían que se había unido a la rebelión.

Una tarde Rosa comía un plato de calabaza al horno bañada en miel cuando se puso a pronunciar palabras que a su hermana Ágata, que estaba junto a ella, no le sonaron irisinas ni del dialecto que se hablaba en la región ni de ninguno de los lenguajes de los pieloscura. Seidel, dijo la niña en un acento remoto, como si ella también acabara de llegar de Afuera. Cheiro, dijo, y Ágata se rio, pensando que era mejor cualquier palabra a ese silencio que había avanzado aun más con la partida del padre. La madre vino corriendo, a instancias de Ágata, y se puso a escuchar las palabras que Rosa pronunciaba. Palabras que salían como una explosión de agua desde el centro de la tierra. Seidel cheiro, dijo la madre, y agarró el tenedor y le dio un pedazo de calabaza en la boca. No era bobita su hija. Tenía razón él, sólo necesitaba un sacudón. Tu ausencia a cambio de su voz, di. Rosa rio con una risa imprevista y la madre se asustó, aunque no tardó en recuperar la calma.

Esa noche Rosa llamó *Niña grande* a su madre. La madre, entusiasmada, salió a buscar a algún vecino para contarle lo que ocurría. Ágata la acompañó. En la oscuridad la madre distinguió la silueta de dos shanz caminando por la calle de tierra, como si con su sola presencia fueran capaces de disuadir a los kreols e irisinos de Temblor-del-Cielo de sumarse a la insurgencia. Iba a entrar a la casa cuando descubrió a Rosa detrás de ella, en el jardín. La niña señaló a las estrellas, y dijo, con una claridad de espanto: Estrellitas altas, tiritan. Todo naciendo. La niña rio y la madre la abrazó y la besó. Las hormigas caminaban en fila india por el sendero que daba a la calle, y Rosa concluyó: Hay que saber seguir. Los glimworms iluminaron el jardín posándose sobre una enredadera, y la niña dijo: Están llenos de luz, señalándolos con el dedo.

Tú estás llena de luz tu, mi niña, dijo la madre.

Fueron días de jugar con las palabras. Si un pájaro dejaba de cantar, Rosa decía: El pajarito desapareció del ruido. Si encontraba una hormiga muerta en el jardín, la alzaba y decía: Te visitaré antes de desrecordarte. Salían al pedazo de propiedad, descuidado desde la partida del padre, con calabazas pudriéndose en esos días de sol pleno y sequía, y ella se paraba entre los cultivos y decía: Algo se sobresalta abajo y viene a vernos. Los lánsès que se posaban en el techo de la casa eran los *señores visitas*, y cuando comía algo que le gustaba, decía: La vida es. A la llegada de la noche ella la llamaba *lo oscuro hace su nido.*

Hubo días en que Rosa regresó al silencio. Para volver a despertar sus palabras, a Ágata se le ocurrió mostrarle un holo del padre. Uno de cuando la familia había ido a la feria de los globos aerostáticos, en una planicie encerrada entre montañas a dos horas de donde vivían, y el globo que alquilaron, de colores sangre y azul, subió y subió al cielo ante la agitación de la niña, que no dejaba de señalar una luz que tiritaba en el firmamento, como si algo o alguien la esperara allá. La niña habló entre risas, dirigiéndose al holo: Voy a visitarte. La madre intervino: Él volverá antes de que tú vayas. No es un hombre de guerra, se cansará pronto. La niña la miró con sus ojos burlones. Poco después comenzaron los milagros. Rosa volvió a su refugio en una de las esquinas de la sala, y dijo: Quiero visitas.

Al rato una plaga de boxelders invadió la casa, cayendo por las ventanas, asomándose por las hendijas del techo, apareciendo por entre las alacenas. Los boxelders se dirigieron en busca de la niña y la rodearon sin tocarla. La madre y la hermana contemplaron pasmadas lo que ocurría. Los boxelders no tardaron en desaparecer.

Al poco tiempo la madre se enfermó y debió quedarse en cama con fiebre, acompañada por una prima lejana que vivía en otro distrito de Nova Isa, cerca de la prisión. La madre pasaba noches de agobio, rechazando los remedios que le ofrecía la prima y alternando sus rezos a Dios y a Xlött. La prima le había dicho que esos rezos eran una herejía, debía decidirse por uno o por otro. Si seguía así ella no pensaba quedarse más noches en la casa. También le sugirió que entregara a la niña al monasterio de los defectuosos. Me pone nerviosa su silencio. Hay algo roto en su cabeza.

Entonces la niña se acercó a la madre y se echó sobre ella. La madre sanó en menos de un minuto. Temerosa, la prima se fue después de que la madre le pidiera que guardara el secreto. No habría monasterio para su niña, y tampoco quería que vinieran a quitársela.

A la mañana siguiente un vecino le ofreció una suma

irrisoria por la propiedad. La madre lo echó de la casa tirando un portazo. Pensó que algo debía hacerse al respecto. Si no era alguien del distrito, vendrían las autoridades a confiscarle ese valioso pedazo de tierra. Se le ocurrió que quizás no necesitaban de ayuda para que los cultivos reverdecieran. Habló con Rosa y le dijo, implorante:

Hay que intentar no vender la propiedad. Unas palabras tuyas obrarán el milagro.

Rosa se puso a correr por la casa y saltar en el jardín. Quiero un arcoíris, dijo, y esa tarde apareció en el cielo un arcoíris. Quiero pájaros verdes, dijo, y en vez de los lánsès se posó en el techo una sarta de loros bulliciosos, pequeños y de picos negros, que hacían un alto en su viaje a un valle cercano. La niña volvió a sentarse en su esquina y la madre dijo: Pide cosas prácticas, niña. Con arcoíris y loros no iremos a ningún lugar.

Rosa permaneció inalterada. La madre pidió más cosas: se acababan la leche, el arroz, la carne, los dulces, las frutas. La niña sonrió, los ojos cerrados, como si escuchara ahí adentro, en su ensimismamiento, una voz que no era la de su madre.

Esa misma noche Rosa enfermó. No paraba de temblar. La malaria, decían, había llegado a Nova Isa. La madre dudó, esta vez sí, acerca de su rechazo a los doctores. Quizás convenía llevarla a una posta sanitaria. Al final no pudo con sus creencias, y armada de su rosario se puso a rezar a Dios y a Xlött. La niña, en su cama, dijo:

Quiero visitar a mi pa. Desencarnarme pronto, y que me dejen nel jardín, junto a las hormigas, pa' que me vean los pajaritos verdes y los arcoíris.

Rosa pidió a su hermana que limpiara el cuarto de todo objeto. La silla, una cómoda y una repisa fueron trasladadas a la sala; los juguetes y la ropa se amontonaron en la cocina. Desde su cama, Rosa contempló durante horas, como en estado de trance, esa pieza vacía, de piso crujiente y paredes agrietadas. La madre y la hermana la veían expectantes, procurando no interrumpirla. La madre soñaba con que su niña volvería de allá con el deseo de ayudar a que la casa no se perdiera.

La niña volvió en sí. He visto a pa, dijo, y se puso a llorar.

Contó que estaba tirado entre unos matorrales, en el valle de Malhado. Una bomba lo había alcanzado, destrozando su pecho y su cara. Ella estuvo ahí, a su lado, hasta que él no pudo más y se desencarnó.

La madre insultó a Xlött y a Dios y lloró junto a Ágata. Rosa les pidió que se callaran.

Construiré la casa más hermosa del mundo, dijo. Me iré a vivir allí con pa y las esperaré.

La madre la miró, incrédula, pero no pudo decirle nada porque la niña había vuelto a entrar en trance.

Al cuarto día Rosa salió del trance para decir una sola palabra: Yastá.

La niña nunca más volvió a pronunciar palabra. Se quedó en cama con una sonrisa, al cuidado de su hermana. Meses después, cuando ya no pudo más, la madre decidió hacer caso a su prima y entregó a Rosa al monasterio de los defectuosos. El atardecer en que le anunciaron que le confiscaban la propiedad, salió al jardín y, serena, mientras observaba el parpadeo de los glimworms, se detuvo en un pensamiento: la niña no las había ayudado. Así fue como Rosa dejó de ser su hijita en gloria, la santa niña.

El próximo movimiento

Jerom subió al techo de una casona abandonada en una esquina de la plaza y se recostó sobre las tejas con el riflarpón entre las manos. El sol se despedía en el horizonte, asomaba la luz de la luna gigante entre las montañas. Pensó en la gente que lloraba y le vino el tembleque y el tembleque se fue cuando apretó el gatillo, una-dos-tres, *zumzumzum*. Apuntó a todo aquello que se movía entre los árboles de la plaza y en las calles aledañas. Escuchó gritos y se preguntó cuál podría ser su próximo movimiento. Vendrían a bajarlo del techo pero él había decidido antes de subir que no lo agarrarían vivo.

La plaza se quedó quieta y Jerom ladeó la cabeza en busca de un mejor ángulo de disparo. Le escoció el muslo izquierdo y de un manotazo aplastó una zhizu. Eran de enquistarse en los tejados, de crear comunidades a través de sus redes. Teje que teje, paqué. Tantas patas, paqué. Una vez, recienvenido, debió salir a fumigar las calles y edificios de la ciudad, invadidos por ellas. No se iban, por lo visto. Nadie se iba voluntariamente, era la ley.

En la mirilla del riflarpón asomó el hocico de un perro entre los escombros de un vertedero en la esquina en diagonal a la casona. Apuntó cuidadosamente. El perro se revolcó de dolor y un niño irisino corrió a auxiliarlo. Situó al niño en la mirilla y por un momento tuvo compasión.

El disparo dio en la frente del niño. Apareció una mancha roja como si se tratara de un rasguño, una herida leve de esas que uno se hace al jugar con un krazycat.

Una sensación liberadora lo recorrió. No podría irse de Iris pero al menos otros lo acompañarían en su infierno. Llega la muerte desde el cielo, susurró. Era parte de una canción que sus brodis y él cantaban entre dientes para darse ánimos; a veces les tocaba situarse en los pisos altos de los edificios como francotiradores de apoyo en una misión, y lanzaban frases y alguna quedaba. Alguna siempre quedaba.

Escuchó una sirena y al rato dos jipus bloquearon la avenida principal que daba a la plaza. Cuatro shanz saltaron de los jipus y se parapetaron detrás de estos. Jerom disparó una ráfaga, zumzumzum, el impacto de las balas en la carrocería de los jipus. Quizás había estado de patrullaje con uno de los shanz, a alguno le había insinuado lo que le ocurría, de uno había recibido una frase rápida de consuelo. Porque no había para más. Porque si todos tenían algún gusano royéndole el corazón o la cabeza o el corazón y la cabeza, entonces ningún problema de nadie podía privilegiarse sobre los de los demás. Todos se iban ahogando, algunos en medio de una quieta desesperación y otros entre alaridos, como él.

El perro se llamaba *Martini & Rossi* y era de piel arrugada y hocico delgado. No tenía pelo. Una científica del Perímetro se lo había regalado al papá del niño. Los científicos y oficiales superiores tenían permisos especiales para traer perros de Afuera, pero en general los perros no duraban en el clima enrarecido de Iris. El aire tóxico los iba matando lentamente. Sus pulmones se envenenaban y cambiaba la coloración de los iris hasta tornarse del amarillo de la piel cuando uno sufría de ictericia. Los perros que sobrevivían en Iris eran los wackydogs, modificados genéticamente para resistir el aire envenenado. Perros artificiales. Por esa misma razón no todos los querían.

Ceudomar, la científica que regaló el perro, había llegado a Iris hacía ocho meses. Provenía de Munro, donde desarrollaba experimentos adaptativos con robots. Los entrenaba a responder al terreno, de modo que, si al comienzo todos nacían iguales, cambiaban a medida que se iban adaptando a determinado terreno. Al final no todos sobrevivían; también funcionaba en ellos el mecanismo de la evolución. Iris desafiaba la adaptación de los robots: la arena era capaz de entorpecer el engranaje de las máquinas más sofisticadas; vientos que duraban semanas podían paralizar cualquier mecanismo. El equipo de Ceudomar había tratado de adaptar robots al desierto de Gobi, por lo que Munro vio por conveniente intentarlo en Iris, un desafío aun mayor por los extremos de una isla en la que el trópico convivía con las montañas de la región minera y con los espacios desérticos.

Ceudomar había llegado a Iris con *Martini & Rossi*. Los primeros días durmió con él, pero al mes notó que el perrito se asustaba de todo. Se escondía bajo la cama, buscaba rincones oscuros para perderse. Le dijeron que tenía el skrik, una enfermedad irisina que podía traducirse como espanto del alma: el perro había visto algo aterrador. Debía hacerlo ver por un qaradjün. Ceudomar sabía de las leyendas demoníacas que circulaban en Munro en torno a Iris, pero decidió no hacer caso. Al final, como *Martini & Rossi* no se recuperaba, se lo dio a uno de los choferes de la base militar. De vez en cuando iba a visitarlo a su casa fuera del Perímetro. *Martini & Rossi* jugaba con los niños del chofer y parecía recuperado. Ceudomar sentía que había hecho una buena acción. El perro seguía siendo suyo; sólo estaba dejando que otros se lo cuidaran.

Ese atardecer *Martini & Rossi* había salido de la casa a buscar boxelders entre los escombros del vertedero en la esquina. Comía esos insectos rojiverdes pero estos no se dejaban atrapar fácilmente. Metía el hocico entre las piedras y a veces asomaba con un boxelder entre los dientes. Eso fue lo que hizo ese atardecer. Cazaba cuando una bala estalló en su bodi. La piel en torno al impacto de la bala adquirió rápidamente una coloración rojiza.

Jerom estaba de guardia en el mercado cuando lo asaltaron dos ideas: debía dejarlo todo, y no saldría de Iris más que muerto. Los irisinos regateaban con la voz agitada, ofreciéndole chairus y trankapechos, mirándolo con desconfianza mientras pasaba a su lado con el riflarpón en estado de apronte, y pensó que nunca lo aceptarían y que era mentira eso de que los shanz estaban ahí para ayudar a que mejoren las relaciones. En los catorce meses transcurridos en Iris no había logrado una sola amistad irisina, y, debía reconocerlo, le costaba mirarlos de igual a igual. Un error, aceptar venirse aquí. Hacía cuatro meses que intentaba por todos los medios que lo trasladaran a Munro, pero sus jefes en SaintRei le habían recordado el contrato, la imposibilidad del retorno. Estaba dispuesto a que lo enviaran a una región donde no estuviera en contacto con nadie, para evitar cualquier posibilidad de contagio tóxico, pero ni aun así. No había excepciones, muchos shanz estaban en su lugar.

Hacía dos días había recibido el holo de una prima que le contaba del fracaso de sus gestiones en Munro. En el mercado, mientras se abría paso por entre las bolsas de especias, fue consciente de que se le habían agotado todas las posibilidades. Se le cruzó envenenarse con lodo mineral o cortarse la pierna con un cuchillo, como hacían algunos shanz con la secreta esperanza de que los evacuaran. Pero tampoco tenía la certeza de que esos shanz fueran en verdad evacuados.

Podía esperar que le llegara la muerte lentamente o rebelarse a ese destino y acelerar el proceso.

Se dirigió a una de las salidas del mercado, esperando que sus brodis de patrulla no se dieran cuenta, y una vez que se encontró en la calle aceleró el paso rumbo a la plaza principal, la plaza donde siete meses atrás había tenido lugar uno de sus escasos enfrentamientos con insurgentes, cuando recibió un disparo en el pecho y creyó que moriría pero poco después, tendido en el suelo, descubrió que el uniforme antibalas lo había salvado y se puso a entonar una plegaria. El problema son las bombas, escuchó que el jefe de la patrulla decía, riendo, mientras él yacía en el suelo, y esa frase lo persiguió durante varios días hasta convertirse en una letanía, *el problema son las bombas* mientras se duchaba en las mañanas, una obsesión, mirando de un lado a otro en su turno de patrullaje, cuando salía del Perímetro rumbo a la ciudad, persignándose a pesar de que no creía en Dios, *el problema son las bombas.* Qué problema tienes. Ninguno, sólo las bombas. Conversaba consigo mismo y se reían y le preguntaban por qué se reía solo y él, no, nada, nonada nada, el problema son las bombas. No es fokin divertido, le decían, y él, no, las bombas no son divertidas.

Había cruzado la plaza sin detenerse rumbo a la casona. Cuatro pisos, una casa con aspiraciones de edificio que le producía curiosidad por esa sensación que daba de mantenerse en pie de pura suerte. Una grieta en la fachada ascendía desde el suelo hasta el último piso, una grieta que insinuaba su caída inminente. Alguna vez la había explorado con un grupo de shanz y se había metido swits en el techo, alguna vez se había sentido en armonía con todos quienes poblaban Iris, irisinos, pieloscura, kreols, incluso los artificiales y los robots chita, pero sobre todo los humanos, pobres humanitos.

Subió los escalones a saltos sin ganas de sentir empatía por nadie. Prenderles fuego a todos, eso quería. Prenderles fuego a balazos. Esa había sido su visión las últimas noches. Sueños tan intensos que no se atrevía a llamarlos sueños. Visiones, más bien, que lo habían despertado en el pabellón donde dormía. Visiones como las de otros shanz, que decían ver a Malacosa caminando hacia ellos, dispuesto a llevárselos al otro mundo con su abrazo. Él no había visto a Malacosa ni a Xlött ni a la Jerere. Sólo fuego por todas partes. Una conflagración que quemaba los árboles en los valles en torno a Iris –troncos de corteza milenaria que trepaban al cielo sin descanso–, arrasaba ciudades y calcinaba los edificios del Perímetro. Un incendio apocalíptico, y era él quien prendía la mecha.

No había subida que no fuera un tambalear.

El capitán Singh creyó que iba a ser un domingo tranquilo cuando recibió la noticia de que un shan se había vuelto saico en uno de los distritos del anillo exterior. De inmediato pidió que acordonaran la plaza y evacuaran las calles aledañas, que los shanz de patrulla en las cercanías se dirigieran al lugar. Él mismo se montó en un jipu y enrumbó hacia la plaza. Podía dirigir las operaciones desde la seguridad del Perímetro pero le gustaba aprovechar cualquier oportunidad que tuviera para dar ejemplo a los shanz bajo su mando. Enseñarles que la fuerza teledirigida no era nada sin un compromiso, una disposición al riesgo de parte de ellos. Los drones, los robots chita, los wùrèns no eran fines en sí mismos sino medios para un fin. Ayudaban a que los shanz se encontraran con lo real de la mejor manera posible. Decía *lo real* con énfasis, como si sólo fuera eso el peligro, el posible encuentro con la muerte. Todo lo demás es lo no real den, le dijo un shan una vez y él estuvo a punto de golpearlo pero se contuvo y dijo no, mas es menos real que lo real. O más real que lo menos real, dijo el shan, y Singh lo envió a que lo enterraran hasta el cuello bajo el sol, un día de escarmiento. Luego se quedó pensando que debía aprender de los irisinos, que desarrollaban palabras nuevas a cada rato, que con el lenguaje podían nombrar diversos tipos de oscuridad y luz. Debía desarrollar nuevos conceptos para lo real.

Antes de llegar a la plaza ya había recibido a través del Instructor toda la información del shan saico. Se llamaba Jerom y había llegado a Iris hacía poco más de un año. En su historial un balazo que casi lo mata. Habría sido suficiente o quizás no, quizás el día-a-día en la ciudad era culpable del desgaste. Estaban los que no podían más por culpa de la violencia experimentada en carne propia, una bomba que explotaba cerca, un brodi que perdían, un irisino que beyondeaban. Estaban los sentimentales, los que extrañaban el mundo dejado atrás, se arrepentían de haberse venido a Iris y buscaban la forma de regresar, confiados en que habría una salida al contrato firmado de por vida. Singh debía oficiar de terapeuta, calmarlos con su voz serena pero firme, no prometerles el paraíso pero sí que todo podía mejorar, siempre sí. A veces los convencía de entregarse en cinco minutos, otras podía tardar mucho más, y no faltaba el fracaso, el momento en que el shan disparaba a irisinos o a sus propios brodis y él debía dar la orden de esfumarlo, orden que a veces le llegaba a un francotirador apostado en un edificio cercano y otras a un técnico que, desde la sala de monitoreo en el Perímetro, veía todo lo que ocurría gracias a una cámara instalada en un dron que se deslizaba silencioso por el cielo, a siete mil kilómetros de altura, y lo único que debía hacer era un gesto para que el dron procediera.

Se detuvo en una de las esquinas de la plaza. Habló con un shan que se sacó la máscara de fibreglass para decirle que el shan saico había matado a un niño irisino.

La madre está inconsolable, dijo. El padre trabaja pa nos.

Ofrézcanles trasladarlos a una casa más grande en Megara, dijo Singh. Y un bono extra de alimentación por los próximos diez meses.

Nos ha disparado a nos tu. Las balas le llegaron a un brodi. En el brazo, mas rebotaron nel uniforme ko. En la mano, un dedo sangrante. Lo están atendiendo.

Singh vio tranquilidad en los ojos. Un shan curtido, alguien que ya no se alarmaba de nada. Le gustaba estar con ellos en una misión, le facilitaban el trabajo.

Procedamos rápido den.

Singh miró hacia el tejado de la casona. Así que Jerom. Provenía de un pueblito en el hinterland de Munro. Habría jugado con iguanas en su infancia, soñado con hacerse millonario diseñando holojuegos o metiendo goles por un equipo de fut12 en la liga nacional. Jamás se le hubiera ocurrido que terminaría sus días en Iris. Porque los terminaría aquí. Saldría muerto de ese tejado o en el mejor de los casos, si se entregaba, lo encerrarían en un monasterio en las afueras de Kondra. Era un shan perdido para la causa y no podría rehabilitárselo. Había que aislar al elemento contaminante. En los monasterios se encontraban los defectuosos y los shanz que se habían excedido en el consumo de swits y escuchaban voces, y también los que no habían podido con la presión y se habían vuelto saicos.

Imaginó a un niño llamado Jerom que se hincaba frente al altar en una iglesia desvencijada para escuchar la palabra de dios al lado de sus padres, un niño que recibía la comunión en una tarde polvorienta. Un niño que todavía no sabía de la existencia de Xlött.

Daba para conmoverse. Él también había sido ese niño.

Debía alejar esos pensamientos.

El niño irisino se llamaba Dax y tenía cinco años. Hacía poco que había vuelto a casa. Apenas nacido, sus padres lo enviaron a un ùjian. Entregar a un hijo era una muestra de compromiso con Xlött. El niño crecería en un ùjian, donde sería preparado para convertirse en un sacerdote dedicado al culto de Xlött. Los padres decían que lo extrañaban pero que tener a su hijo allí los llenaba de la presencia divina. Era una forma de acercarse a Xlött que beneficiaba a todos.

El niño, sin embargo, había sido devuelto al jom. Los del ùjian no dieron ninguna explicación, pero el padre sabía que se trataba de su nuevo trabajo en el Perímetro. Un amigo lo había recomendado como chofer de los pieloscura. El padre había estado sin trabajo durante meses, y en la ciudad no tenía muchas opciones. Le llegó la oferta y no lo pensó. Sabía que se exponía a ser visto por sus vecinos como traidor, de modo que hizo esfuerzos para minimizar su nuevo comercio con los pieloscura. Salía hacia el Perímetro por la madrugada, con las calles desiertas, y volvía en la alta noche, protegido por la oscuridad. Igual era cuestión de tiempo hasta que se enteraran. El regreso de su hijo le dolió. Su mujer le reprochó que arriesgara así sus vidas: Xlött no estaría feliz con ellos. El padre agachó la cabeza.

Dax no daba muestras de haber pasado por el ùjian. Era un niño normal al que le gustaba jugar entre los edificios en ruinas. Atrapaba boxelders y zhizus escondidos en la maleza y los metía en botellas de vidrios de colores que su madre le traía del mercado. Alineaba las botellas contra una de las paredes de la casa, en orden descendente desde las que albergaban a las presas más valiosas –zhizus del tamaño de su puño– hasta las que no duraban mucho pues las incendiaba con una lupa al sol.

Un día su padre apareció con un perrito flaco y sin pelaje que no paraba de olisquearlo. Un regalo para ellos, el único pedido era que no le cambiaran el nombre. Dax fue feliz. Iba con *Martini & Rossi* a todas partes, quería enseñarle a ser su compañero de caza. Le hacía oler los insectos atrapados en las botellas para que los pudiera reconocer entre los escombros. Se metía con él por los edificios, adiestrándolo a que conociera de memoria el territorio. El perro respondía. A veces sus pasos se atropellaban y podía rodar por las escaleras; en una ocasión se cayó del segundo piso de una casa. Tenía un olfato aventajado para señalar el camino de los boxelders entre las piedras. Dax buscaba boxelders raros, de esos que le habían hablado sus amigos en el ùjian, de escamas y alas rojizas, como si hubieran sido chamuscados en un fuego, y que representaban a Xlött. Pero esos boxelders no parecían existir en su distrito; ni con *Martini & Rossi* podía encontrarlos. Algún día saldría a explorar los valles en torno a la ciudad y se convertiría en el gran enemigo de los boxelders. Algún día no quedarían botellas de vidrio para encerrar a todo ese maleficio de bichos que rondaban por el mundo.

Esa mañana *Martini & Rossi* estaba más alerta que de costumbre. Se le adelantó unos pasos y corrió rumbo a los escombros en una esquina de la plaza. Dax lo observaba cuando escuchó el disparó y vio cómo el perro hacía un movimiento brusco. Dax corrió hacia *Martini & Rossi* tirado entre las piedras, aullando de dolor. Recibió el disparo antes de llegar.

Jerom volvió a disparar contra los shanz. Agotó una ronda de ochenta balas en menos de un minuto. Los disparos trizaron los cristales del jipu pero con los shanz era difícil, por sus uniformes antibalas. Al menos sabrían que no estaba jugando. Se habían parapetado detrás del jipu. Había visto a dos de ellos correr a esconderse detrás de las paredes de un edificio. Estarían llamando en busca de refuerzos, tan predecibles. Tan predecible él, que había actuado muchas veces siguiendo los pasos que el Instructor le dictaba. No era difícil recordar qué venía en casos de un ataque saico. Debía prepararse.

Volvió a escocerle el muslo izquierdo. Otro manotazo, otra zhizu. Quizás se había echado sobre un nido. Una zhizu gigante dormía ahí y de ella salían sus crías venenosas. Pero no veía el nido.

Al rato apareció otro jipu. Era la hora mágica, cuando el día se hundía y la noche se levantaba. La hora ideal para los swits. Cuando, con sus brodis, llegaba a creer que no estaba mal quedarse de por vida e incluso podía imaginarse viviendo con una irisina en algún pueblo alejado de la capital. Había pieloscuras que abandonaban el Perímetro para irse a vivir con kreols, con irisinos. Pieloscuras que se volvían irisinos. Cuánto tiempo era suficiente vivir en un lugar para ser de ese lugar. Quizás regresar a Munro era imposible ya. Quizás Munro era otro país ya.

Jerom supo que el que bajaba del jipu, altanero, sin siquiera intentar cubrirse, era Singh. Vendría a solucionar el problema, con la estúpida convicción de que todo podía resolverse. Un hombre intolerable de tan práctico. Alguien que parecía no saber del cuerpo y su vómito de sinsentidos ante el calor feroz de Iris. De los vientos que llenaban los ojos de arena y el cielo de oscuridad. De los pasos inquietos de los dioses. De las visiones que provenían de las profundidades de las minas, con monstruos de falos gigantes que querían ahogarte en las Aguas del Fin en Malhado, mujeres de la floresta cuyos brazos convertidos en ramas te abrazaban hasta la asfixia, dragones de Megara de pupilas enormes que te devoraban si te movías, víboras reptantes capaces de meterse por todos tus orificios y encuevarse en tu estómago, desde donde salían por la noche, mientras dormías, para tragarse a los shanz cerca tuyo.

No todo es un problema administrativo, capitán. No todos tenemos tu fokin compostura.

Escuchó la voz meliflua de Singh a través del Qï. Le hablaba de su infancia en Goa. No debía bajar la guardia. Tenía dos hermanos, contaba Singh, vivían en una casa cerca de la playa, el sol entraba por las ventanas en la mañana, iluminaba las motas de polvo en los muebles. Su madre había dejado a su padre y el padre vivía dedicado a ellos. Por las noches se perdía con una guitarra por los bares de la ciudad, para ganarse un poco de geld y mantenerlos. El hermano se llamaba Rohit y salía a cazar por las mañanas y una vez volvió con un pájaro de plumas amarillas con balines incrustados en el pecho y lo operó con cuchillos y tenedores sacados de la cocina. Lo salvó y fue el héroe de sus hermanos. El menor se llamaba Rajiv y un día, correteando por la playa, se encontró con una esfera de metal y la alzó y la esfera explotó.

Rajiv se hizo pedazos delante de Singh. Nada volvió a ser lo mismo. En esos días de duelo Singh decidió convertirse en defensor de la ley y luchar contra todos aquellos que la transgredieran.

La voz de Singh se resquebrajaba. No es tan duro den.

Jerom quiso orinar pero no podía sacarse el uniforme. Se dejó ir ahí mismo. No dejaba de apuntar hacia la esquina donde estaban los jipus y los shanz.

Singh seguía hablando. Le pedía que bajara del techo. Que se entregara. Sería llevado a un hospital, se asegurarían de recuperarlo. Tendría una semana de descanso y luego volvería al cuartel.

Mentira, susurró Jerom. Me llevarán a un monasterio y no volveré a salir.

Volverás, dijo Singh. Confía en mí, di.

Jerom disparó una nueva ronda de municiones contra los shanz, diez veinte treinta cincuenta balas, y ya no escuchó más la voz de Singh y se sintió mejor.

Sethakul estaba de turno en la sala de monitoreo del Perímetro, atenta a los dieciséis holos en torno suyo, holos que le contaban cómo iba el día en Iris, cuando estalló la emergencia en la plaza y recibió el llamado de Singh que le pedía prepararse para cualquier contingencia. Agrandó el holo que captaba las acciones en la plaza y redujo los demás. Habló con su supervisor, le dijo de la emergencia, pero el supervisor estaba enfrascado en una partida de Clausewitz con otros oficiales en un bar y le dijo que ella se ocupara, todo saldría bien, y que lo mantuviera al tanto si ocurría algo fuera de lo normal. Sethakul asintió, no muy segura de qué podía definirse como *fuera de lo normal*, pero ya estaba acostumbrada a esas situaciones, a que el supervisor no supervisara nada y a que ella tuviera que cargar en su conciencia el peso de los botones apretados. Porque de eso se trataba. De apretar botones. De ser la Señora de los Drones. Ahora mismo el buen soldado Jerom no sabía que allá en el cielo, por sobre su cabeza, un dron llamado Reaper había comenzado a moverse dirigido por Sekhatul y lo encañonaba. Un botón, y el cohete saldría disparado y en menos de diez segundos Jerom desaparecería y con él un pedazo del techo, aunque quién sabe, ese edificio estaba rajado y el cohete podía darle el impulso final para que se cayera. El corazón de Sekhatul se le aceleró al acercar la imagen y ver a Jerom tirado en el techo, inerme ante ella. Vio una cicatriz en la oreja derecha, un tatuaje de una calavera en la parte posterior del cuello, y cuando abrió la boca vio que tenía un pedazo de carne incrustado entre sus dientes. Él no podía distinguir al dron, ni siquiera era un punto sobre su cabeza, estaba lo suficientemente lejos como para confundirse con el color del cielo. El dron era el cielo. Como en los holojuegos que la habían llevado a ese trabajo. Porque hasta hace un par de meses ella era un shan más. Pero su fama en los holojuegos, su rapidez con los mandos para desplazar tropas y tanques, su agilidad con los botones, habían logrado ese ascenso. Le habían dicho que manipular drones desde la sala de monitoreo era un juego. Cuestión de mandos y botones. Sí, podía serlo, tanto que cualquiera con un mínimo de capacidad visual podía hacerlo, no se necesitaba una especialista. En fin. Había aceptado porque quería librarse de los ataques de ansiedad en la lucha contra la insurgencia. Los agotadores días de patrulla, las bombas que explotaban al paso de los jipus. Una vez se había salvado por poco. La bomba explotó segundos después de que su jipu cruzara un puente camino a Malhado. Sí, era mejor refugiarse en la sala de monitoreo, lidiar desde lejos con la guerra, enfrentarse a holos. Pero no le habían contado toda la historia, se dijo, sintiendo el dolor de cabeza que martilleaba en el área frontal y se iba extendiendo ahora que veía a Jerom disparando contra otros shanz en la plaza, un dolor que era como si una mano quisiera arrancarle la piel de su cara, como si esta fuera una máscara. Quizás lo era. Quiso sonreír y no le salió del todo. No, no le habían contado toda la historia. La primera vez que debió hacer que Reaper descargara su poder de fuego había estado casi cuatro horas observando a través del holo al irisino que se reunía con gente en una casa en el anillo exterior, que entraba a una habitación y besaba a una irisina con siete brazaletes en el cuello y salía y fumaba con sus amigos, un irisino de ojos almendrados y nariz recta, igual a los demás en apariencia aunque el informe del Instructor decía que era ministro de Orlewen, un líder de la insurgencia en ese distrito, y que esa reunión aparentemente casual planeaba un ataque al Supremo cuando este se reuniera con dirigentes irisinos de la transición. Cuatro horas que no eran suficientes para encariñarse pero sí para desarrollar cierto interés en ese humanito, porque estaba segura de que los irisinos eran humanos a pesar de que eso no lo decía SaintRei. Tosió. Escuchó la voz de Singh, que le decía *pulgar en alto.* Eso significaba que tenía órdenes de proceder. Que ella, Sekhatul, podía convertirse en la Señora de los Drones. Que esa noche no podría dormir pensando en el buen shan Jerom. Qué miedos lo habrían llevado a ese techo, a esa casona. Agobiada por la tensión, Sekhatul se desmayaba a veces en lugares impensados. Veía un aura antes de perder la conciencia, como el ingreso a otro mundo, como si se estuviera muriendo, si debía hacer caso a lo que se decía que uno veía antes de morir, una luz muy blanca, un túnel. Pero nadie la esperaba al otro lado. Días atrás se había desvanecido en el baño de la sala de monitoreo. Había sido después de hacer que Reaper disparara a un grupo de cuatro irisinos. El cohete estaba dirigido a uno solo, pero los cuatro habían muerto. Su supervisor le había dicho que no se preocupara, esas cosas ocurrían, pero era inevitable sentirse mal. Los líderes irisinos habían logrado que oficialmente no se usaran más los drones contra ellos, mostraban que la ocupación carecía de ética, además que hacían recuerdo a los incidentes de la lluvia amarilla, la muerte que muchas décadas atrás había llegado a Iris desde el cielo, desde aviones a cargo de pruebas nucleares. Oficialmente sí, pero igual los drones seguían haciendo su trabajo. Más contra irisinos, pero también con shanz saicos. Sekhatul no podía decir nada.

Guede, uno de sus compañeros de trabajo, la había encontrado en el baño y la ayudó a recuperarse. Le humedeció el rostro, le dio un par de swits, le dijo que se cuidara, si el supervisor se enteraba podía perder su trabajo. Guede tampoco dormía bien desde que lo enviaron a la sala de monitoreo. No era fácil. Los shanz no duraban mucho en esa sala. Uno de ellos se había ahorcado poco antes de que Sekhatul entrara a trabajar allí. Sekhatul lo había reemplazado. Guede le dio un escapulario con la imagen de la Jerere. Para que te proteja, le dijo. Escuchó un ruido y salió del baño corriendo, temeroso de que el supervisor lo encontrara junto a ella. Ella recordó ese momento ahora que veía a Jerom disparando y se preguntó qué sería de Guede. Dos días que no aparecía por la sala de monitoreo. Había dejado el escapulario bajo el colchón donde dormía. No quería meterse en complicaciones si la encontraban con él en la sala. Tampoco creía en esas cosas, por más que le dijeran que la maldición de Xlött pesaba sobre todos los operadores de drones y que para alivianar su culpa debía entregarse a un dios del panteón irisino. Una contradicción. En todo caso buscaría al dios de los suyos si tuviera algo de fe. Se dijo que no lo debía pensar más.

Oscurecía, y si había otra muerte a manos de Jerom ella sería la culpable. Y de eso no quería ser culpable. En realidad no quería ser culpable de nada. Ni de muertes ni de vidas. Ni del fin de algunos irisinos que luchaban contra ella ni del de algunos shanz que eran de su bando hasta que dejaban de serlo.

Sekhatul vio a Jerom tratando de recargar su riflarpón, y apretó el botón.

Nota

Los cuentos de esta compilación pertenecen a los siguientes libros:

Las máscaras de la nada (1990): "Desencuentro", "Esperando a Verónica".
Desapariciones (1994): "En Durant y Telegraph", "Imágenes del incendio", "La frontera", "Faulkner".
Amores imperfectos (1998): "La puerta cerrada", "Tiburón", "Persistencia de la memoria", "Amor, a la distancia", "Dochera".
Billie Ruth (2012): "El acantilado", "Roby", "Como la vida misma", "Azurduy", "Srebrenica", "Billie Ruth", "Volvo".
Las visiones (2016): "Artificial", "Temblor-del-cielo", "El próximo movimiento".

Índice

Edmundo Paz Soldán (Cochabamba, Bolivia, 1967) es profesor de literatura latinoamericana en la Universidad de Cornell. Es autor de diez novelas, entre ellas *Río fugitivo*, *La materia del deseo*, *Palacio quemado*, *Los vivos y los muertos*, *Norte* e *Iris*; y de los libros de cuentos *Las máscaras de la nada*, *Desapariciones*, *Amores imperfectos*, *Billie Ruth* y *Las visiones*. Ha coeditado los libros *Se habla español* y *Bolaño salvaje*. Su libro más reciente es *Segundas oportunidades*. Sus obras han sido traducidas a diez idiomas y ha recibido numerosos premios, entre los que destacan el Internacional de Cuento Juan Rulfo 1997 y el Nacional de Novela en Bolivia 2002. Colabora en distintos medios, entre ellos los periódicos *El País* y *La Tercera*, y las revistas *Etiqueta Negra* y *Qué Pasa*.

Títulos en Narrativa

LOS QUE HABLAN
CIUDAD TOMADA
Mauricio Montiel Figueiras

LA INVENCIÓN DE UN DIARIO
Tedi López Mills

FRIQUIS
LATINAS CANDENTES 6
RELATO DEL SUICIDA
DESPUÉS DEL DERRUMBE
Fernando Lobo

CARNE DE ATAÚD
MAR NEGRO
DEMONIA
LOS NIÑOS DE PAJA
Bernardo Esquinca

EMMA
EL TIEMPO APREMIA
POESÍA ERAS TÚ
Francisco Hinojosa

NÍNIVE
Henrietta Rose-Innes

AL FINAL DEL VACÍO
POR AMOR AL DÓLAR
REVÓLVER DE OJOS AMARILLOS
CUARTOS PARA GENTE SOLA
J. M. Servín

OREJA ROJA
Éric Chevillard

LOS ÚLTIMOS HIJOS
EL CANTANTE DE MUERTOS
Antonio Ramos Revillas

LA TRISTEZA EXTRAORDINARIA
DEL LEOPARDO DE LAS NIEVES
Joca Reiners Terron

ONE HIT WONDER
Joselo Rangel

MARIENBAD ELÉCTRICO
Enrique Vila-Matas

CONJUNTO VACÍO
Verónica Gerber Bicecci

LOS TRANSPARENTES
BUENOS DÍAS, CAMARADAS
Ondjaki

PUERTA AL INFIERNO
Stefan Kiesbye

EL APOCALIPSIS (TODO INCLUIDO)
¿HAY VIDA EN LA TIERRA?
LOS CULPABLES
LLAMADAS DE ÁMSTERDAM
PALMERAS DE LA BRISA RÁPIDA
Juan Villoro

DISTANCIA DE RESCATE
PÁJAROS EN LA BOCA
Samanta Schweblin

EL HOMBRE NACIDO EN DANZIG
MARIANA CONSTRICTOR
¿TE VERÉ EN EL DESAYUNO?
Guillermo Fadanelli

BARROCO TROPICAL
José Eduardo Agualusa

APRENDER A REZAR EN LA ERA DE LA TÉCNICA
CANCIONES MEXICANAS
EL BARRIO Y LOS SEÑORES
JERUSALÉN
HISTORIAS FALSAS
AGUA, PERRO, CABALLO, CABEZA
Gonçalo M. Tavares

25 MINUTOS EN EL FUTURO. NUEVA CIENCIA FICCIÓN NORTEAMERICANA
Pepe Rojo y Bernardo Fernández, *Bef*

CIUDAD FANTASMA. RELATO FANÁSTICO DE LA CIUDAD DE MÉXICO (XIX-XXI) I Y II
Bernardo Esquinca y Vicente Quirarte

EL FIN DE LA LECTURA
Andrés Neuman

LA SONÁMBULA
TRAS LAS HUELLAS DE MI OLVIDO
Bibiana Camacho

JUÁREZ WHISKEY
César Silva Márquez

TIERRAS INSÓLITAS
Luis Jorge Boone

CARTOGRAFÍA DE LA LITERATURA OAXAQUEÑA ACTUAL I Y II
VV. AA.

HORMIGAS ROJAS
Pergentino José

Títulos en Ensayo

UN DICCIONARIO SIN PALABRAS
Jesús Ramírez-Bermúdez

ÁRBOLES DE LARGO INVIERNO
LA FRAGILIDAD DEL CAMPAMENTO
L. M. Oliveira

CURIOSIDAD. UNA HISTORIA NATURAL
UNA HISTORIA DE LA LECTURA
LA CIUDAD DE LAS PALABRAS
Alberto Manguel

UNA CERVEZA DE NOMBRE DERROTA
EL ARTE DE MENTIR
Eusebio Ruvalcaba

EL IDEALISTA Y EL PERRO
INSOLENCIA, LITERATURA Y MUNDO
EN BUSCA DE UN LUGAR HABITABLE
Guillermo Fadanelli

LA MEXICANIDAD: FIESTA Y RITO
LA GRAMÁTICA DEL TIEMPO
Leonardo da Jandra

EL LIBRO DE LAS EXPLICACIONES
Tedi López Mills

CUANDO LA MUERTE SE APROXIMA
Arnoldo Kraus

ÍCARO
Sergio Pitol

ARTE Y OLVIDO DEL TERREMOTO
Ignacio Padilla

EL ARTE DE PERDURAR
Hugo Hiriart

LA OTRA RAZA CÓSMICA
José Vasconcelos

PUNKS DE BOUTIQUE
Camille de Toledo

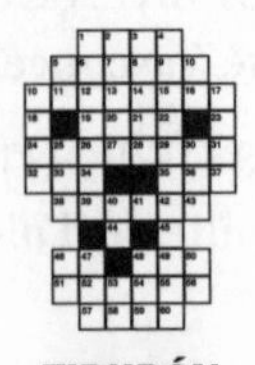

TIBURÓN
UNA ANTOLOGÍA PERSONAL

de Edmundo Paz Soldán
se terminó de
imprimir
y encuadernar
el 21 de octubre de 2016,
en los talleres
de Litográfica Ingramex,
Centeno 162,
Colonia Granjas Esmeralda,
Delegación Iztapalapa,
Ciudad de México.

Para su composición tipográfica se emplearon las familias Bell Centennial y Steelfish de 11:14, 37:37 y 30:30. El diseño es de Alejandro Magallanes.
El cuidado de la edición estuvo a cargo de Karina Simpson.
La impresión de los interiores se realizó sobre papel Cultural de 75 gramos.